SACRAMENTO PUBLIC LIBRARY
828 "I" STREET
SACRAMENTO, CA 95814
01/2022
S0-BME-902

ФРОМАНТАЛЬ БОКЕ СТАНИСЛАС

Приключения ЭРЖЕ

РАБОТА С ЦВЕТАМИ: МАДЛЕН ДЕМИЛЬ
ЦВЕТА НА ОБЛОЖКЕ И НА СТР 5-8: ДОМИНИК ТОМА

Посвящается Иву Бонифасу

Приключения Эрже, создателя Тинтина — СПб., 2020.

Издательство «КОМИЛЬФО». Санкт-Петербург, наб. Обводного канала, д. 60, офис 306.
Станислас и др. Приключения Эрже, создателя Тинтина. — М.: ЭКСМО, 2020. — 80 с.

Les Aventures d'Herge
© DARGAUD 2011, by Stanislas, Jean-Luc Fromental & Jose-Louis Bocquet
www.dargaud.com
All rights reserved

Перевод и вёрстка: Максим Трудов
Корректура: Иван Селиверстов
Редактура: Евгения Астафьева

Основной тираж 1450 экземпляров — ISBN 978-5-04-113892-9
Лимитированный тираж для магазина «Двадцать восьмой» — 978-5-04-117944-1

Отпечатано в типографии «НП-Принт», Россия, СПб, Чкаловский пр. 15, 197110

ООО «Издательство «Эксмо».
123308, Москва, ул. Зорге, д. 1 Тел. 8 (495) 411-68-86,8 (495) 956-39-21.
Home page: www.eksmo.ru E-mail: info@eksmo.ru

Знак информационной продукции (Федеральный закон
Российской Федерации от 29 декабря 2010 г. №436-ФЗ)

1914

БРЮССЕЛЬ
АХ! СМЕШ-НО-О-О!

СМЕШНО СМОТРЕТЬ МНЕ...
АГУ.

НА СЕБЯ!
ПАМ!

ЭТО ТЫ ЛИ-И-И-И...
МР-Р-Р-Р...

МАРГАРИТА?

ОТВЕЧАЙ, ОТВЕЧАЙ ПОСКО-РЕ-Е-Е...

МЯААААУ!

Е-Е-Е-Е-Е!

О НЕТ, ТЫ ВСЁ РАЗБИЛ!
МОЛОДОЙ ЧЕЛОВЕК, Я ВСЁ ВИДЕЛА!

И НЕ СТЫДНО ТЕБЕ ТАК ИЗМЫВАТЬСЯ НАД БЕДНЫМ ЖИВОТНЫМ, МЕЛКИЙ ВАЛАНДАЙ?
Я НЕ ПОЗВОЛЮ, ГОСПОЖА, ЧТОБЫ С РЕМИ РАЗГОВАРИВАЛИ ПОДОБНЫМ ТОНОМ!

ЖОРЖ! НУ-КА, МАРШ НА КУХНЮ! И ЗАБЕРИ МЛАДШЕГО БРАТА!
ХОРОШО, МАМА.

ПРОШУ ПРОСТИТЬ ЕГО, ГОСПОЖА БЁЛЬМАН. САМИ ПОНИМАЕТЕ, КАКОЙ У НЕГО ВОЗРАСТ!
УА-А-А-А-А!

МАЛЬЧИК СТАЛ ЗАДАВАТЬСЯ, УЗНАВ О ТАЙНЕ СВОЕГО ПРОИСХОЖДЕНИЯ.
?

ТАЙНЕ ПРОИСХОЖДЕНИЯ? О ЧЁМ ЭТО ВЫ ГОВОРИТЕ?
У ЕГО ОТЦА АЛЕКСИСА ЕСТЬ БРАТ-БЛИЗНЕЦ ЛЕОН...

ИХ МАТУШКА, КОТОРУЮ ЗВАЛИ МАРИ ДЕВИНЬ, РАБОТАЛА В ТЕ ВРЕМЕНА ГОРНИЧНОЙ
У ГРАФИНИ ДЮДЗЕЛЬ, И ТА ВОСПИТЫВАЛА МАЛЬЧИКОВ КАК СВОИХ РОДНЫХ...

ПОПОЛЬ, Я ТЕБЕ СЕЙЧАС КОЕ-ЧТО ПОКАЖУ.
АГУ!

КАКОЙ ЖЕ КРАСАВИЦЕЙ БЫЛА ИХ МАТУШКА! И ЛЕОПОЛЬД ВТОРОЙ ПОДОЗРИТЕЛЬНО ЧАСТО НАВЕЩАЛ ЗАМОК ДЮДЗЕЛЬ...
НИНИ! КАК МОЖНО?

Я, РЕМИ ПЕРВЫЙ, НАЗНАЧАЮ ПОПОЛЮСА КАПИТАНОМ ГВАРДИИ!

ЗАЩИЩАЙСЯ, ПОДЛЕЦ!
ХС-С-С

БРЯМЦ!

ТЕБЯ И НА МИНУТУ НЕЛЬЗЯ ОСТАВИТЬ ОДНОГО! МОЖЕТ, ХВАТИТ УЖЕ БАЛОВАТЬСЯ, ЖОРЖ?

НА, ДЕРЖИ КАРАНДАШИ И БУМАГУ! ГОВОРЯТ, РИСОВАНИЕ УСПОКАИВАЕТ.

АХ! СМЕШНО, СМЕШНО СМОТРЕТЬ МНЕ НА СЕБЯ!
ПОПОЛЮС
АГУ!

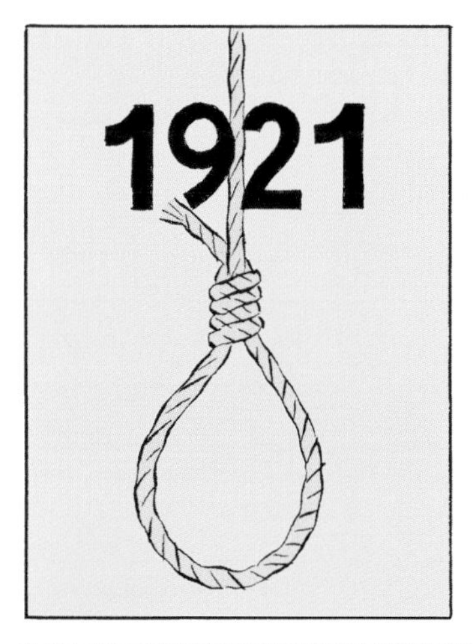
1921

КИНОТЕАТР ПАТЕ-ПАЛАС, БУЛЬВАР АНСПАШ, БРЮССЕЛЬ

«Легендарное сокровище, Джим Хокинс, печёнка Джона Сильвера!»

ХР

МОРИС ТУРНЬЕ
ОСТРОВ СОКРОВИЩ
А МНЕ ПОНРАВИЛСЯ ДЖИМ ХОКИНС!
ОНО И ПОНЯТНО, ЖОРЖ, ЕГО ЖЕ ДЕВУШКА ИГРАЕТ!

ДА, Я ЗНАЮ... ШИРЛИ МЕЙСОН!
ОНА ЕЩЁ ПОХОЖА НА ТВОЮ ПОДРУЖКУ.
МИЛУ? ТЫ ДУМАЕШЬ?
21
1008
ДЗИНЬ

ЗНАЕШЬ, ФРАНСУА, У МЕНЯ ПОЯВИЛАСЬ ИДЕЯ.
ШИК! У ТЕБЯ ВСЕГДА ХОРОШИЕ ИДЕИ!

С ТЕХ ПОР КАК ПАПА ХОЧЕТ ПОНРАВИТЬСЯ НАЧАЛЬНИКУ, Я ВСЁ ВРЕМЯ СО СВЯЩЕННИКАМИ И У МЕНЯ БОЛЬШЕ НЕТ ДРУЗЕЙ ИЗ БЫВШЕЙ ГРУППЫ.
ЭЙ, А ПРО МЕНЯ ТЫ ЗАБЫЛ?

ТЫ ЖЕ СЛЫШАЛ, КАК МЕНЯ НАЗЫВАЮТ ЭТИ ЗАДАВАЛЫ ИЗ ПАТРУЛЯ ОРЛОВ: БЕЗБОЖНИКОМ!
ДЗИНЬ
НУ, А ОНИ ТОГДА БЕСТОЛОЧИ!
ТЫДЫК-ТЫДЫК

СЧИТАЮТ СЕБЯ ЛУЧШЕ ВСЕХ. ПОРА ПОСТАВИТЬ ИХ НА МЕСТО, ФРАНСУА! МЫ ИМ ПОКАЖЕМ! УДИВИМ!
И КАК ЖЕ?

ПОИСКИ СОКРОВИЩ!
ДЗИНЬ
ДЗИНЬ

СУАНЬСКИЙ ЛЕС, МЕЖДУ ТЕРВЮРЕНОМ И ОДЕРГЕМОМ
ПЯТНАДЦАТЬ ЧЕЛОВЕК НА СУНДУК МЕРТВЕЦА! ЙО-ХО-ХО! И БУТЫЛКА РОМУ!

ТУТ!
?

31, 32...

ЗАКОПАЕМ СОКРОВИЩЕ ЗДЕСЬ!
ЗАСТАВИМ ПАРНЕЙ ПОБЕГАТЬ!
ДАВАЙ КОПАЙ!

А ТЫ... УФ... ЧТО БУДЕШЬ... ДЕЛАТЬ?
Я КАРТУ РИСУЮ! ЭТО ЖЕ САМОЕ ВАЖНОЕ. А ТЫ КОПАЙ.

ЧТО ТЫ ПРИНЁС В КАЧЕСТВЕ СОКРОВИЩА?
С
З
В
Ю
35
Одергем

Я НАШЁЛ СТАРЫЙ РОЖОК МОЕГО БРАТА. А ТЫ?

ОЧЕНЬ КРАСИВЫЙ СВИСТОК И РЕДКУЮ СТАРИННУЮ ЮЛУ...
КАК-ТО НЕ ОЧЕНЬ В КАЧЕСТВЕ СОКРОВИЩА. Я ЧТО, ЗАЗРЯ КОПАЛ?

ДАЙ МНЕ ПОДУМАТЬ.
ТРУ-ТУ-ТУ!

?

* В ОРИГИНАЛЕ СОБАКУ ТИНТИНА ЗОВУТ МИЛУ. (ПРИМ. ПЕР.)

ЧАСОВНЯ ПРИ ШКОЛЕ СВЯТОГО БОНИФАЦИЯ
СОБИРАЙТЕ СЕБЕ СОКРОВИЩА НА НЕБЕ. ГДЕ СОКРОВИЩЕ ВАШЕ, ТАМ БУДЕТ И СЕРДЦЕ ВАШЕ.

РЕМИ, ГОВОРЯТ, ТЫ НАШЁЛ ВИСЕЛЬНИКА!
АГА, САМОГО НАСТОЯЩЕГО! У НЕГО ЯЗЫК ТОРЧАЛ И ЧЕРВЯКИ ИЗ УШЕЙ ЛЕЗЛИ! ОТ ЕГО ВИДА ФРАНСУА ЧУТЬ НЕ ВЫВЕРНУЛО НАИЗНАНКУ!
А ВОТ, ГОСПОДА, ГЛАВНЫЙ ЭКСПОНАТ: НАСТОЯЩАЯ ВЕРЁВКА ВИСЕЛЬНИКА!
ВЫ ВСЕ НАВЕРНЯКА ЗНАЕТЕ, ЧТО ЭТО САМЫЙ ДЕЙСТВЕННЫЙ ТАЛИСМАН УДАЧИ, И ЕГО ОБЛАДАТЕЛЮ СУЛЯТ БОГАТСТВА И КОНФЕТЫ!
НО Я ГОТОВ ПОДЕЛИТЬСЯ С ВАМИ КУСОЧКОМ. ПЯТЬ САНТИМОВ ЗА САНТИМЕТР.
ПОВЕЗЛО Ж ТЕБЕ, РЕМИ...
Я ХОЧУ ПЯТЬ САНТИМЕТРОВ!
ЖОРЖ, МНЕ ТОЖЕ: ТРИ САНТИМЕТРА!

ДА ТЫ ПРЕДПРИНИМАТЕЛЬ, ЖОРЖ! НИЧЕГО НЕ ОСТАЛОСЬ! НА ДВА С ПОЛОВИНОЙ ФРАНКА МЫ КУПИМ НАСТОЯЩЕЕ СОКРОВИЩЕ!
О КАКОМ СОКРОВИЩЕ ТЫ ГОВОРИШЬ? МЫ ТЕПЕРЬ И ТАК ПОПУЛЯРНЫ! ОНИ У НАС С РУК ЕСТЬ ГОТОВЫ!
ПЯТНАДЦАТЬ ЧЕЛОВЕК НА СУНДУК МЕРТВЕЦА! ЙО-ХО-ХО! ЕШЬ СЛАСТИ, И ДЬЯВОЛ ТЕБЯ ДОВЕДЁТ ДО КОНЦА!
ДЗИНЬ!
КОНФЕТОЧНАЯ
КОНФЕТЫ
МАРЦИПАН
ЗЕФИР
ЖЕЛЕ

ШОКОЛАДКИ, ИРИСКИ, ЛАКРИЧНЫЕ МЫШКИ! ВОТ ОНО, СОКРОВИЩЕ!
ЖАЛЬ, ТЫ РАЗДАЛ ВСЮ ВЕРЁВКУ!
НЕ ПЕРЕЖИВАЙ, ТУТ НА ВСЕХ ХВАТИТ...

1925

ПЕРЕВАЛ БОЛЬШОЙ СЕН-БЕРНАР

ПРОКЛЯТЬЕ, ДО ГРАНИЦЫ ОСТАЛОСЬ ВОСЕМЬСОТ МЕТРОВ!
ДЕТИ МОИ, Я ПОНЯЛ, В ЧЁМ ДЕЛО. ДАЙТЕ МНЕ ПЯТЬ МИНУТ!
БУМ

ВЫШЕ НОС, РЕБЯТА! СКАУТЫ СМЕЮТСЯ ОПАСНОСТИ В ЛИЦО!

БРЮССЕЛЬ
ГОВОРЮ ТЕБЕ, АЛЕКСИС, ТКАНЬ ЦВЕТА ХАКИ БУДЕТ В САМЫЙ РАЗ.
В САМЫЙ РАЗ ДЛЯ ДЕТЕЙ?

НУ ЧТО, ПОЛУЧИЛОСЬ? ОНИ УЕХАЛИ?
ДА, ГОСПОДИН.

ВЫ КАК-ТО НЕ ОЧЕНЬ РАДЫ ЭТОЙ ПОЕЗДКЕ, ДОРОГОЙ РЕМИ.
ДА НЕ В ЭТОМ ДЕЛО, ГОСПОДИН ВАН РУА.

И В ДОЖДЬ, И В СЛЯКОТЬ, БОНИФАЦИЙ, ТВОИ БРАВЫЕ СКАУТЫ...

НУ ЧТО, ХИТРЫЙ ЛИС, РЕШИЛ БРОСИТЬ ТОВАРИЩЕЙ В ТРУДНУЮ МИНУТУ?

А В ТВОЁМ РИСУНКЕ ПОЯВЛЯЕТСЯ ВСЁ БОЛЬШЕ ЖИЗНИ!

ЭТА ПОЛОМКА СЛУЧИЛАСЬ НЕ БЕЗ ВМЕШАТЕЛЬСТВА ВЫСШИХ СИЛ. ТЕПЕРЬ У МЕНЯ БУДЕТ ХОТЯ БЫ ОДИН ПРИЛИЧНЫЙ НАБРОСОК К РЕПОРТАЖУ В «БЕЛЬГИЙСКОМ СКАУТЕ»...

ВМЕСТЕ С ТАЛАНТОМ ГОСПОДЬ ПОДАРИЛ ТЕБЕ ВЕЛИКОЕ БУДУЩЕЕ.
ЭХ, ВОТ БЫ ПАПА СЧИТАЛ ТАК ЖЕ...

ТВОЙ ОТЕЦ — СЛАВНЫЙ МУЖЧИНА, ЖОРЖ. ЕМУ ЛИШЬ ХОЧЕТСЯ, ЧТОБЫ ТЫ ПОШЁЛ ПО ЕГО СТОПАМ.
ПРИКЛЮЧЕНИЕ
РАДОСТИ
ИДИТЕ ПЕТЬ В ДРУГОЕ МЕСТО!

И РАБОТАЛ В АТЕЛЬЕ? НЕТ УЖ, СПАСИБО!

НЕ ПАЛОМНИЧЕСТВО ЗАНИМАЕТ МОИ МЫСЛИ, ГОСПОДИН, А БУДУЩЕЕ ЖОРЖА.

В СТРАНЕ ЭКОНОМИЧЕСКИЙ КРИЗИС, А ОН БЕЗДУМНО ОТКАЗЫВАЕТСЯ ОТ КАРЬЕРЫ, КОТОРУЮ ВЫ ПРЕДЛАГАЕТЕ ЕМУ В СВОЕЙ КОМПАНИИ.

ОН ПОЛОН АМБИЦИЙ, НО ЕГО МЫСЛИ ЗАНЯТЫ ТОЛЬКО ПОХОДАМИ, РИСУНКАМИ И ТЕАТРОМ. Я НЕ ЗНАЮ, ЧТО С НИМ СТАНЕТ.

ВИДИШЬ ЛИ, РЕНЕ, МЕНЯ ИНТЕРЕСУЕТ ТОЛЬКО ТА ОДЕЖДА, ЧТО НА МНЕ САМОМ.

ВОПРОС В ДРУГОМ: МОЖНО ЛИ ПРОЖИТЬ НА СВОИ РИСУНКИ?
ШЕФ! ШЕФ!

ШЕФ! ФЛЮПКЕ ЗАСТРЯЛ НА СКАЛЕ!

НА ПОМОЩЬ! Я НЕ МОГУ СПУСТИТЬСЯ!
ДА КАК ТЕБЯ УГОРАЗДИЛО?

МНЕ СТРАШНО!
РЕНЕ, НЕ НАДО, Я САМ.
СБЕГАЙ ЗА МОИМ ЛАССО.

ПО ИНДЕЙСКОЙ СИСТЕМЕ!

ПРОКЛЯТИЕ, АЛЕКСИС! Я ЖЕ НЕ ПРОСТО ТАК УБЕДИЛ ВАС ЗАБРАТЬ ЕГО ИЗ ШКОЛЫ СВЯТОГО ДИОНИСИЯ И УСТРОИТЬ К СВЯТОМУ БОНИФАЦИЮ?
ПРОСТИТЕ, НО Я ЛЕОН.

МАЛЬЧИК ТАЛАНТЛИВ. СТОИТ ЕМУ ПРИНЯТЬ НАШИ ЦЕННОСТИ, КАК ОН СТАНЕТ НАСТОЯЩИМ ПОБОРНИКОМ ХРИСТА ЦАРЯ.

КАК БЫ МЫ НИ ЗАКРЫВАЛИ ГЛАЗА НА ЕГО ПРОИСХОЖДЕНИЕ, У НЕГО В ЖИЛАХ ТЕЧЁТ КРОВЬ ЛИДЕРА, И ОН ЕЩЁ ДОКАЖЕТ, ЧТО НЕ ЛЫКОМ ШИТ!

ДЕРЖИСЬ!

ХОП!

ГИП-ГИП-УРА В ЧЕСТЬ ШЕФА ПАТРУЛЯ!
НАСТОЯЩИЙ ВОЖДЬ!

ХА, КРОВЬ ЛИДЕРА! ЧЕМ ПРИКАЖЕТЕ ПЛАТИТЬ ЗА ЕГО ОБУЧЕНИЕ, ПОКА ОН ИМ НЕ СТАЛ?
БУМ!

МИЛЫЙ МОЙ, НЕ ГОРЯЧИТЕСЬ ВЫ ТАК. НАША БОЛЬШАЯ СЕМЬЯ ПОЗАБОТИТСЯ О НЁМ.

ЭТО, КОНЕЧНО, ХОРОШО, НО Я ТАК И НЕ ЗНАЮ, КЕМ МНЕ СТАТЬ. МОЖЕТ, ГОРНЫМ ГИДОМ?
НЕ ПЕРЕЖИВАЙ, ЖОРЖ, МЫ ПОМОЖЕМ ТЕБЕ.
ХРУСТ ХРУСТ ХРУСТ ХРУСТ ХРУСТ

Я ПОГОВОРИЛ С АББАТОМ ВАЛЛЕ.
ДИРЕКТОРОМ «XX ВЕКА»?

СПЕРВА ПРИДЁТСЯ ПОПОТЕТЬ, ОН НАВЕРНЯКА ЗАСТАВИТ ТЕБЯ ЗАНИМАТЬСЯ ПОДПИСКАМИ, НО Я ДУМАЮ, ЧТО ДОВОЛЬНО СКОРО ТЫ СМОЖЕШЬ ЗАЯВИТЬ О СЕБЕ.

ГОТОВО! МОЖЕМ ТРОГАТЬСЯ!
А ДАВАЙТЕ, ОТЕЦ, ФОТО НА ПАМЯТЬ?

ФОТО! ФОТО!

Отряд коллежа Святого Бонифация на перевале Большого Сен-Бернара

ЕГО ЖДЁТ ВЕЛИКОЕ БУДУЩЕЕ!
СКАЖУ ДАЖЕ БОЛЬШЕ: ЕГО ЖДЁТ ВЕЛИКОЕ БУДУЩЕЕ!

СЛАВА ДУЧЕ
ТАМОЖНЯ
ВРРРР!

1928

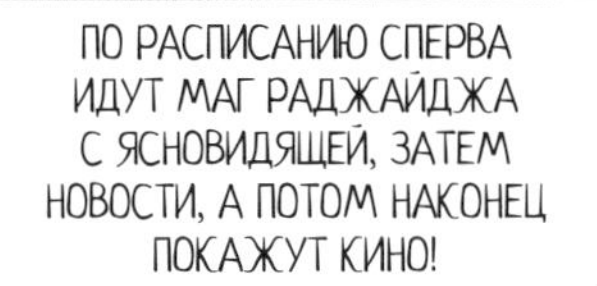
ПО РАСПИСАНИЮ СПЕРВА ИДУТ МАГ РАДЖАЙДЖА С ЯСНОВИДЯЩЕЙ, ЗАТЕМ НОВОСТИ, А ПОТОМ НАКОНЕЦ ПОКАЖУТ КИНО!

ТИШЕ! МАГ УЖЕ ЗДЕСЬ... ЛЮДИ ОТ НЕГО В НАСТОЯЩЕМ ВОСТОРГЕ.

Я НАЧНУ С ТОГО, ЧТО ВВЕДУ ГОСПОЖУ ЯСМИНУ В СОСТОЯНИЕ ГИПНОТИЧЕСКОГО ТРАНСА...

ГОСПОЖА ЯСМИНА, ВЫ ГОТОВЫ ОТВЕЧАТЬ НА МОИ ВОПРОСЫ?
ДА, ГОСПОДИН.

ГОСПОЖА ЯСМИНА, СКАЖИТЕ, ЗАМУЖЕМ ЛИ ТА ДАМА С ЧЕТВЁРТОГО РЯДА?
НЕТ, И МОЛОДОЙ ЧЕЛОВЕК РЯДОМ С НЕЙ — ЕЁ ДРУГ.

И КЕМ ЖЕ РАБОТАЕТ ЭТОТ ДРУГ?
ОН... РЕПОРТЁР!

ГОСПОЖА, ВСЁ ВЕРНО?

УДИВИТЕЛЬНО! НО КАК ОНА МОГЛА ЗНАТЬ ПРО ТО, ЧТО ТЫ...

Я ВИЖУ... Я ВИЖУ ПУТЕШЕСТВИЕ В ДАЛЁКУЮ И ОПАСНУЮ СТРАНУ... ПОЛНУЮ ЖЕСТОКОСТИ И НАСИЛИЯ! ГДЕ ВСЁ ПОКРЫТО КРАСНЫМ...

АААААААAХ!

ЛЕЙЛА ХАЙАМС
ВОТ ЧЕРТЯКА ЭТОТ РИН ТИН ТИН!
АГА, НО Я ВЕСЬ ФИЛЬМ ДУМАЛА О СЛОВАХ ТОЙ ЯСНОВИДЯЩЕЙ.

ОБЕЩАЙТЕ МНЕ, ЧТО БУДЕТЕ ЗАВТРА ПРЕДЕЛЬНО ОСТОРОЖНЫ!
ЖЕРМЕН, ЭТО
НУ ЧТО ВЫ, ВЕДЬ ОБЫЧНАЯ ПОЕЗДКА В КВАРТАЛ МАРОЛЬ.

НЕ ПОЕЗДКА, А ВАЖНЫЙ РЕПОРТАЖ! НЕ БЫТЬ ЖЕ ВАМ ВСЮ ЖИЗНЬ ПОМОЩНИКОМ ФОТОГРАВИРОВЩИКА.
МОЖЕТ, ВАШ ПОЦЕЛУЙ ПРИНЁС БЫ МНЕ УДАЧУ...
ДИНГ

ЖОРЖ! НА ПЕРВОМ МЕСТЕ ДОЛЖНО СТОЯТЬ ВАШЕ БУДУЩЕЕ.
ХЛОП

ЖОРЖ? ТЫ УЖЕ ВСТАЛ?

XX ВЕК

ХОП!

ХА!

ХР...

ДУМЦ

КЫШ ОТ МОЕГО БАТИ, ВАЛАНДАЙ!
?

СКОРЕЕ, ЖОРЖ, ОТЕЦ ВАЛЛЕ ОЖИДАЕТ ВАС! ВЫ СИЛЬНО ОПАЗДЫВАЕТЕ!
ПРОШУ ПРОЩЕНИЯ! Я ДОЛГО СИДЕЛ НАД ПЕЧАТЬЮ!

А ВОТ И ВЫ, ЮНЫЙ РЕМИ. НАКОНЕЦ-ТО! НАДЕЮСЬ, ВЫ ПРИНЕСЛИ МНЕ ЧТО-ТО СТОЯЩЕЕ.

ЯСНО...

ЭТО КОТ НАШ, ОН ТАКОЙ НЕПОСЕДА! ЧТОБЫ ВЫ ПОНИМАЛИ, КАК МНЕ ТЯЖЕЛО БЫЛО ЕГО СФОТОГРАФИРОВАТЬ.
XX ВЕК
XX ВЕК
СУДЬБА

У МЕНЯ ДЛЯ ВАС ПЛОХАЯ НОВОСТЬ, РЕМИ: ВАМ НЕ СТАТЬ РЕПОРТЁРОМ!

НО Я УБЕЖДЁН, ЧТО ВЫ НАЙДЁТЕ СВОЁ ПРИЗНАНИЕ В ЧЁМ-ТО ДРУГОМ. УДЕЛИТЕ БОЛЬШЕ ВНИМАНИЯ РИСОВАННЫМ ИСТОРИЯМ! БУДЬТЕ ПАСТЫРЕМ НАШИХ ЮНЫХ ЧИТАТЕЛЕЙ!

КСТАТИ, МОЖЕТ, ОДНОГО ЖЕЙ?
Я ВОТ ПОДУМАЛ: СДЕЛАТЬ РЕПОРТЁРОМ ИЗ ВАШИХ ПЕРСОНА-
ПРЕДСТАВЬТЕ, ХРАБРЫЙ КАТОЛИК С ЗАДАТКАМИ МИССИОНЕРА. НАСТОЯЩИЙ ПОБОРНИК ХРИСТА ЦАРЯ!

ДЕЛАЙ ХОРОШО ТО, ЧТО УМЕЕШЬ ДЕЛАТЬ!

И ПРИРИСУЙТЕ ЕМУ СОБАЧКУ!
ДЕТИ ОБОЖАЮТ СОБАЧЕК!

НУ ЧТО?
СКАЖУ, КОГДА ДОДЕЛАЮ!

СОБАКИ
ПСЫ

ТАГАДА

Свист

ество хорошего мальчик
— Эрже

ЖОРЖ? ТЫ ЧТО, НЕ ЛОЖИШЬСЯ?

А ЭТОТ ЮНОША МНЕ НРАВИТСЯ! ПЁС ТОЖЕ МИЛЫЙ, НО Я ПРЕДСТАВЛЯЛ ЕГО ПОБОЛЬШЕ...

ВЫ ЧТО, ГОСПОДИН АББАТ, ФОКСТЕРЬЕР — ПОРОДА ЭТОГО ГОДА!

НУ РАЗ ТАК ГОВОРИТ ЖЕРМЕН... ЖОРЖ, СЧИТАЙТЕ, ЧТО ИМПРИМАТУР У ВАС В КАРМАНЕ!
ПОЧТА

1930
МАЗЬ
АРГЕНТИНСКАЯ

У НАС РАЗВЕ НАМЕЧЕНА ОСТАНОВКА В ЛЁВЕНЕ?
ЁВЕН
Я САМ ХОТЕЛ СПРОСИТЬ.

ВНЕПЛАНОВАЯ ОСТАНОВКА! ОЖИДАЕМ ВАЖНУЮ ПЕРСОНУ.
КЁЛЬН - БРЮССЕЛЬ

ВЫХОД
ЛЁВЕН
КИОСК

М ТУАЛЕТ
ГР-Р-Р...

КОШМАР! ЧЁЛКА НЕ ХОЧЕТ ДЕРЖАТЬСЯ!
ДАВАЙТЕ ПОПРОБУЮ Я, КРЫХИТКО!

МАЗЬ
АРГЕНТИНСКАЯ
МАЗЬ

ДА НЕ ДЁРГАЙСЯ ТЫ, ЛЮСЬЕН!
МНЕ ХОЛОДНО, ГОСПОЖА ЖЕРМЕН.
НУ ЧТО, КОСТЮМЧИК СОЙДЁТ.
СМИРНО, РЕКС!
ГР-Р-Р...

ЖЕРМЕН, ЭТО НЕ МОЙ ТИНТИН!

Я ЗАНЯТОЙ ЧЕЛОВЕК, МНЕ НУЖНО БЫТЬ В БРЮССЕЛЕ ЧЕРЕЗ ДЕСЯТЬ МИНУТ!
ИДУТ!

ГАВ!

?
И ЭТОТ РУ-САК - ВАЖНАЯ ПЕРСОНА?
КЁЛЬ
БРЮСС

ФЬЮТ!

РЕДАКЦИЯ ГАЗЕТЫ «XX ВЕК». БРЮССЕЛЬ
ГОСПОДИН АББАТ, ПОЕЗД ПРИБЫВАЕТ ЧЕРЕЗ ПЯТНАДЦАТЬ МИНУТ!
ИДИТЕ БЕЗ МЕНЯ, ШАРЛЬ. У МЕНЯ НЕТ ВРЕМЕНИ ДЛЯ ЗАБАВ И ИГР!

ЗАБАВ И ИГР? НО ЭТО ЖЕ САМАЯ КРУПНАЯ РЕКЛАМА «XX ВЕКА ДЛЯ ДЕТЕЙ»!

И КАК ЭТО ПОМОЖЕТ НАМ В БОРЬБЕ СО СТАЛИНЫМ? КСТАТИ, РЕМИ НЕ ЗАБЫЛ ВЗЯТЬ С СОБОЙ ТЕКСТ РЕЧИ?

КРАСНЫЙ АД... ГНЁТ И НЕСВОБОДА... СОВЕТСКИЙ ТЕРРОР... БОЛЬШАКИ...
БОЛЬШЕВИКИ!
ПФФФ

УЖАС! У НЕГО УЖЕ ПОПЛЫЛ ГРИМ!
ДА УСПОКОЙСЯ ТЫ! ВОТ УВИДИШЬ, ВСЁ БУДЕТ ХОРОШО.

БОЮСЬ, КАК БЫ ЭТА ЗАТЕЯ НЕ ВЫСТАВИЛА МЕНЯ ДУРАКОМ. ПОВЕЗЛО ЖЕ ТЕБЕ С ЖЕНИХОМ!
НУ ЧТО ТЫ КАК МАЛЕНЬКИЙ, ЖОРЖ! В КОНЦЕ КОНЦОВ, РАЗВЕ ЭТО ТАК ВАЖНО?

ГР-Р-Р...

ВСЁ РАВНО, НИКТО НЕ ПРИДЁТ!

СЕВЕРНЫЙ ВОКЗАЛ, БРЮССЕЛЬ
СЛАВА СНЕЖКУ И ТИНТИНУ!
XX век для детей

XX век для детей
ТИНТИН!
ТИНТИН!
ТИНТИН!

ТИНТИН!
?
ДА КТО ЭТОТ РУСАК?
СНЕЖОК!
ТИНТИН!

ТИНТИН! ПОЦЕЛУЙ МОЮ МАЛЫШКУ!

СЛАВА ТИНТИНУ!
БРАВО!

РЕМИ, СЮДА!

СКОРЕЕ! ИМПЕРАТРИЦА ЦИТА СПЕЦИАЛЬНО ПРИЕХАЛА ИЗ СВОЕГО ЗАМКА В СТЕНО-КЕРЦЕЛЕ, ЧТОБЫ ПОЗНАКОМИТЬСЯ С ТОБОЙ!
?

ЕЁ ВЫСОЧЕСТВО В ВОСТОРГЕ ОТ ТОГО, КАК ТЫ ДОБАВИЛ К СЕБЕ В ИСТОРИЮ ЕЁ ДЕТЕЙ, ЮНЫХ ЭРГЕРЦОГОВ ГАБСБУРГСКИХ.

ЖОРЖ! ОН СЕЙЧАС УЙДЁТ С МАЛЫШКОЙ!

ПРОСТИТЕ, НО Я НУЖЕН В ДРУГОМ МЕСТЕ!
?
?

КАКОЙ СТРАННЫЙ МОЛОДОЙ ЧЕЛОВЕК!
ХУДОЖНИК...

ОХ, НЕ ПОЗДОРОВИТСЯ НАМ, ЕСЛИ АББАТУ ВАЛЛЕ СКАЖУТ, ЧТО ТИНТИН ПРИЕХАЛ ИЗ СТРАНЫ СОВЕТОВ ВМЕСТЕ С РЕБЁНКОМ!
ВОТ ОН, Я ВИЖУ ЕГО!

ТЫ ЧТО, ЛЮСЬЕН, ВЕРНИ МАТЕРИ РЕБЁНКА!

И СНЕЖОК
ПОЕХАЛИ! В РЕДАКЦИЮ «XX ВЕКА»!
ГАВ! ГР-Р-Р...
ТИНТИН С НАМИ!

ВЫХОД
ВЫХОД ВЫХОД
ВЫХОД
УА-А-А-А-А!

ЧОРТ ПОБИРАЙ!
СЛАВА ТИНТИН
И СНЕЖКУ!

ВЫ ВИДЕЛИ, ГОСПОДИН АББАТ? ИХ ТАМ ТЫСЯЧИ!

ХОРОШАЯ РАБОТА, МАЛЫШ РЕМИ. ТИНТИН ВЫУЧИЛ СВОЮ РЕЧЬ?

Я ГОРЖУСЬ БЕЛЬГИЕЙ! И Я РАД ВЕРНУТЬСЯ НА РОДИНУ!
ТИНТИН С НАМИ
XX ВЕК ДЛЯ ДЕТЕЙ

КРАСНЫЙ АД... ГНЁТ И НЕСВОБОДА... СОВЕТСКИЙ ТЕРРОР... БОЛЬШАКИ...
ТИН-ТИН!
ТИН!
ГРОМЧЕ! НИЧЕГО НЕ СЛЫШНО!
ТИН-ТИН!

ДОЛЖЕН ПРИЗНАТЬ, ЧТО Я СЕРЬЁЗНО НЕДООЦЕНИВАЛ ПОПУЛЯРНОСТЬ ТВОЕГО ТИНТИНА. КУДА ДУМАЕШЬ ОТПРАВИТЬ ЕГО ТЕПЕРЬ?
ТИН-ТИН
ТИН-
Я ДУМАЛ ОБ АМЕРИКЕ...
ЛУЧШЕ В КОНГО!

А ПОКА МОЖЕМ ИЗДАТЬ «СОВЕТЫ» В ФОРМАТЕ АЛЬБОМА.
ПРАВДА? ЖЕРМЕН БУДЕТ ТАК РАДА!
БРАВО!
ХЛОП!
ХЛОП
ХЛОП

НЕСКОЛЬКО НЕДЕЛЬ СПУСТЯ...
НУЖНО ПОДПИСАТЬ ТРИДЦАТЬ АЛЬБОМОВ ДЛЯ НАШИХ ДРУЗЕЙ И МЕЦЕНАТОВ.
ПРИКЛЮЧЕНИЯ ТИНТИНА В СТРАНЕ СОВЕТОВ

ЖОРЖ, ТЫ БУДЕШЬ ПОДПИСЫВАТЬ ОТ ЛИЦА ТИНТИНА, А ТЫ, ЖЕРМЕН, ОТ ЛИЦА СНЕЖКА.
15

1934

«XX ВЕК», КАБИНЕТ ДИРЕКТОРА
ПОСОЛ ЛИЧНО ВЫРАЗИЛ СВОЮ ОЗАБОЧЕННОСТЬ, ГОСПОДИН ШМИДТ. ВАШ ХУДОЖНИК ДОЛЖЕН ПЕРЕСТАТЬ ОЧЕРНЯТЬ ЯПОНИЮ.

Я НЕ ПОНИМАЮ ВАС, ГОСПОДИН ПОНТЮ. ВЫ ЖЕ ПРЕЗИДЕНТ КИТАЙСКО-БЕЛЬГИЙСКОЙ АССОЦИАЦИИ...

XX Век для детей
В ТОМ ТО И ДЕЛО, ДРУЖИЩЕ. В КИТАЕ И ТАК ОЧЕНЬ НАКАЛЁННАЯ ОБСТАНОВКА. НЕ ХВАТАЛО ЕЩЁ, ЧТОБЫ КАКОЙ-ТО ТИНТИН-КРЕТИН ПОДЛИВАЛ МАСЛА В ОГОНЬ.

ДЗИНЬ
91
ХОП!
1002

ВОТ, НАПРИМЕР, ЧЕГО СТОИТ ОДНО ЗАЯВЛЕНИЕ О ТОМ, ЧТО ЯПОНЦЫ ПОДСТРОИЛИ АВАРИЮ НА ЖЕЛЕЗНОЙ ДОРОГЕ В МУКДЕНЕ!

ЯПОНИЯ НЕ НАМЕРЕНА ТЕРПЕТЬ ПОДОБНОЕ И СОБИРАЕТСЯ ОБРАТИТЬСЯ В ГААГСКИЙ СУД. «XX ВЕК» — ОЧЕНЬ ВАЖНОЕ ИЗДАНИЕ, И БЫЛО БЫ ДОСАДНО, ЕСЛИ БЫ ИЗ-ЗА ПОДОБНОЙ ГЛУПОСТИ ЕГО РЕПУТАЦИЯ ОКАЗАЛАСЬ ПОД УДАРОМ.
АББАТ Н. ВАЛЛЕ

Я ХОРОШО ЗНАЮ ЯПОНЦЕВ, ГОСПОДИН ШМИДТ. УЖ ПОВЕРЬТЕ МНЕ, ВЕСЬМА ОПРОМЕТЧИВО ОСКОРБЛЯТЬ ИХ. ПРИВЕДИТЕ ВАШЕГО ЭРЖЕ В ЧУВСТВА!
ХОРОШО, Я ПОГОВОРЮ С НИМ.

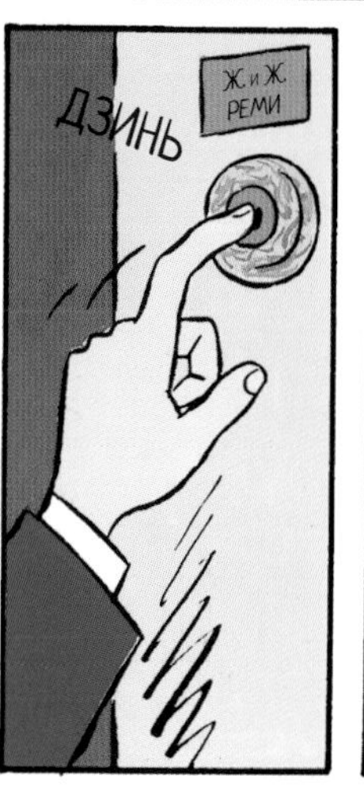
ДЗИНЬ
Ж. и Ж. РЕМИ

ЧАН!

УЛЫБОЧКУ, ЧАН!

ЧАН, МОЖЕТЕ ПОДНЯТЬСЯ НА СТУПЕНЬКУ?

РАЗ, ДВА, ТРИ!

Я ДУМАЛ СХОДИТЬ ПРОВЕДАТЬ НАШЕ ДЕРЕВО.
ПРЕКРАСНАЯ ИДЕЯ, ДРУГ ЖОРЖ.

МЫ К ДЕРЕВУ, ЖЕРМЕН.
ХОРОШЕЙ РАБОТЫ!

ЗАВОДИ.

Я ВИДЕЛ ВАШИ ПОСЛЕДНИЕ НАБРОСКИ КИСТЬЮ. ПРОГРЕСС НАЛИЦО, ЖОРЖ!

ЭТО ВАША ЗАСЛУГА, ЧАН. КАК ВЫ ТАМ ГОВОРИЛИ? ЧТО-ТО ПРО ВЕТЕР И КОСТИ.

НУЖНО СОЕДИНИТЬ ВЕТЕР ВДОХНОВЕНИЯ И КОСТЬ ГРАФИЧЕСКОЙ СТОЙКОСТИ!

СЛОМАЕТЕ ИМ ПАЛЬЦЫ, И ДОСТАТОЧНО.

КОГДА ВЫ РАССКАЗЫВАЛИ МНЕ В ПРОШЛЫЙ РАЗ ОБ ЭТОМ ДЕРЕВЕ, Я УВИДЕЛ ЕГО ПЕРВЫЙ ПОРЫВ К СОЛНЦУ, ЕГО ПЕРВОЕ РАЗОЧАРОВАНИЕ, ЕГО ХРАБРОСТЬ И СТОЙКОСТЬ.

ВЫ ПОЧУВСТВОВАЛИ ЭТО ДЕРЕВО. ВЫ СТАЛИ ИМ, И, СЛУШАЯ ВАС, Я ОСОЗНАЛ, ЧТО МЫ ЯВЛЯЕМСЯ СО ВСЕЛЕННОЙ ЕДИНЫМ ЦЕЛЫМ.

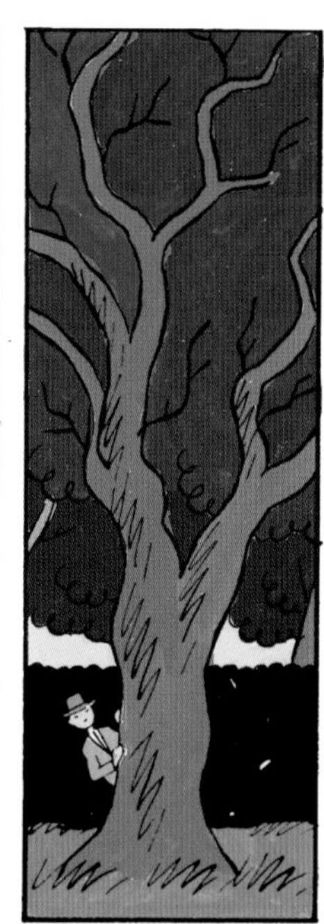

Я ПОНЯЛ, ЧТО МЫ И ЕСТЬ КОСМОС.

КАК ЖЕ Я РАД, ЧТО АББАТ ГОССЕ ПОЗНАКОМИЛ НАС.

НЕ ВЫ ОДИН, ДРУГ МОЙ ЖОРЖ.

Я ПОМОГАЮ ВАМ, А ВЫ ПОМОГАЕТЕ МНЕ ОБЛИЧАТЬ БЕСЧИНСТВА ЯПОНЦЕВ НА МОЕЙ РОДИНЕ, И ВМЕСТЕ МЫ БОРЕМСЯ ЗА ПРАВДУ.
АЙ!

ВЫ СЛЫШАЛИ, ЧТО НАША РАБОТА ВЫЗВАЛА НЕГОДОВАНИЕ У РЯДА ЛИЦ? Я ОБЕСПОКОЕН ЭТИМ.

ДАО ГЛАСИТ: «ЛОТОС БЕЗМЯТЕЖЕН, ИБО СЕРДЦЕ ЕГО ПУСТО».

САМ ГЕНЕРАЛ ПОНТЮ ЯВИЛСЯ К МОЕМУ ДИРЕКТОРУ С ЖАЛОБОЙ ОТ ЯПОНСКОГО ПОСОЛЬСТВА.

РАЗ ЭТО РАЗДРАЖАЕТ ЯПОНЦЕВ, ЗНАЧИТ, ВЫ ГОВОРИТЕ ПРАВДУ.

СКАЖИТЕ СВОЕМУ НАЧАЛЬНИКУ, ЧТО БЕЛЬГИЯ — СВОБОДНАЯ СТРАНА И ТОКИО НЕ В СИЛАХ ЗАСТАВИТЬ ВАС ЗАМОЛЧАТЬ.

站住!
?!

А ЕСЛИ ЯПОНЦЫ ПОДАДУТ НА НАС В ГААГСКИЙ СУД?

ТЕМ ЛУЧШЕ. ТОГДА ЛЮДИ УЗНАЮТ ПРАВДУ...

...А ВЫ ПОЛУЧИТЕ ВСЕМИРНУЮ СЛАВУ.
ПАМ!

1941

ГАЛЕРЕИ СВЯТОГО ГУБЕРТА, БРЮССЕЛЬ
ЛЕВОЙ! ЛЕВОЙ! ЛЕВОЙ! ЛЕВОЙ!

НЕЛЬЗЯ! МЫ УЖЕ НАЧАЛИ.
КОРОЛЕВСКИЙ ТЕАТР
ТИНТИН В ИНДИИ или ТАЙНА голубого алмаза

ЛЕВОЙ! ЛЕВОЙ! ЛЕВОЙ! ЛЕВОЙ!

ДАВАЙТЕ, КРОШКИ, ПОРА НА СЦЕНУ!

ВАН МЕЛК, МНЕ КАЖЕТСЯ, ТИРАДА МАХАРАДЖИ НЕ ДОТЯГИВАЕТ.
У НАС ЖЕ НЕ КОРОЛЬ ЛИР.

НО ДЛЯ ПЬЕСКИ, НАПИСАННОЙ ЗА ТРИ НЕДЕЛИ, У НАС НЕПЛОХО ПОЛУЧИЛОСЬ, ЖОРЖ.
ПЬЕСКИ?

...ПРОСИМ ВАС ПРИНЯТЬ ТИТУЛ ГЛАВНОГО СОВЕТНИКА МАХАРАДЖИ.
НУ ХОРОШО, ТОГДА Я ОСТАЮСЬ.
ДРИНЬ
ДРИНЬ
ДРИНЬ

?

ГОСПОДИН МЕЛКЕБЕКЕ?

А ВОТ И НАШ ДРУГ!

ЭРЖЕ. ЭДГАР ПЬЕР ЖАКОБС.

КОРОЛЕВСКИЙ ТЕАТР
ГАЛЕРЕИ ГУБЕРТА
ТИНТИН В ИНДИИ
ВОТ ЧЕРТЯКА ЭТОТ ТИНТИН!

А КТО ИЗ ЭТИХ ГОСПОД ЭРЖЕ?

ВОН ТОТ ВЫСОКИЙ И ХУДОЙ. ГОВОРИТ С ЧИНОВНИКОМ ЦЕНЗУРЫ.

ДАВАЙТЕ, РЕБЯТА, ОТПРАЗДНУЕМ У МЕНЯ!

БЛАГОДАРЯ НАШЕМУ ДРУГУ ВАН МЕЛКУ Я ТОЖЕ ПОЗНАЛ РАДОСТЬ СЦЕНЫ!
ЛЕВОЙ! ЛЕ
ЛЕВОЙ! ЛЕ
ТАК МЫ ТЕПЕРЬ КОЛЛЕГИ!

ДА, ЖАК РАССКАЗЫВАЛ МНЕ. ВЫ, КАЖЕТСЯ, БАРИТОН?
Я ИГРАЛ В «КАРМЕН», «МАНОН»...

МАНОН... ТЫ ПРЕДАЛА МЕНЯ...

РАСПОЛАГАЙТЕСЬ ПОУДОБНЕЕ. НИКТО НЕ ПРОТИВ ИРЛАНДСКОГО ВИСКИ?

СМОТРИТЕ! ОТСЮДА ВИДНО РЕДАКЦИЮ!

НЕУДИВИТЕЛЬНО, ЧТО ВАН МЕЛК В КУРСЕ ВСЕХ СЕКРЕТОВ НАЧАЛЬСТВА.

ХА-ХА-ХА...
ВЕЧЕР

НУ ЖЕ, ЖАК, ПОКАЖИ НАМ СВОИ ПОСЛЕДНИЕ РАБОТЫ.

МНЕ НРАВИТСЯ ИЗОБРАЖАТЬ СВОИ СНЫ И ВЕРНО ПЕРЕДАВАТЬ УВИДЕННЫЕ ОБРАЗЫ...

ПРЕКРАСНАЯ РАБОТА С ЦВЕТОМ.
В ЭТОМ ПРЕИМУЩЕСТВО ЖИВОПИСИ, ТОГДА КАК В КОМИКСАХ...

НУ НЕ СКАЖИТЕ: АМЕРИКАНЦЫ, НАПРИМЕР, ХОТЬ И ПРИБЕГАЮТ ПОРОЙ К КРИЧАЩИМ ЦВЕТАМ, ЛЕГКО ДОКАЗЫВАЮТ, ЧТО КОМИКСЫ НЕ ОГРАНИЧЕНЫ ЧЁРНЫМ И БЕЛЫМ.

ТОЛЬКО ИЗ ЦВЕТОВ У ВАШИХ АМЕРИКАНЦЕВ ЕСТЬ ПОКА РАЗВЕ ЧТО СЕРО-ЗЕЛЁНЫЙ!

СТРАННО. ЭТОТ МУЖЧИНА СТОИТ У ФОНАРЯ И НЕ УХОДИТ...
ХА-ХА-ХА-ХА-ХА!

ЭТО ПОРТРЕТ... НАТУРЩИЦЫ?

НЕТ, МОЕЙ ЖЕНЫ ЖИНЕТ.

ОДНИ МУЖИКИ!
ВСПОМНИШЬ СОЛНЦЕ — ВОТ И ЛУЧИК.

НУ КАК? ЧТО ГОСПОДИН ЭРЖЕ ДУМАЕТ О ТВОЕЙ ЖИВОПИСИ?
ОНА ОТПУГНЁТ ВСЯКОГО БУРЖУА...
БУРЖУИ — НАШ ГЛАВНЫЙ ВРАГ!

БУРЖУИ И ДЕВСТВЕННИКИ!

КАКАЯ УДИВИТЕЛЬНАЯ ЖЕНЩИНА!
ЖИНЕТ? ПО МНЕ, СКОРЕЕ ОПАСНАЯ!

МНЕ ПОКАЗАЛСЯ ДОВОЛЬНО ЗАНЯТНЫМ ВАШ ВЗГЛЯД НА ЦВЕТ. НАДО ВЕРНУТЬСЯ К ЭТОМУ РАЗГОВОРУ.
КОГДА ПОЖЕЛАЕТЕ.

У МЕНЯ НА ЭТОТ СЧЁТ БОЛЬШИЕ ПЛАНЫ. ОЧЕНЬ БОЛЬШИЕ.

ЛЮБОПЫТНО...
ЧТО ТАКОЕ?

МНЕ КАЖЕТСЯ, ЧТО ЗА НАМИ СЛЕДЯТ.
?

НАДО ПРОВЕРИТЬ!
ЭЙ!

ЭТО ОБЫЧНЫЙ ПРОХОЖИЙ! ОХ, ЭДГАР, ДА ВЫ ЕЩЁ ТОТ ВЫДУМЩИК.

А ВОТ И МОЯ МАШИНА. МОЖЕТ, ВАС ПОДВЕЗТИ?
НЕТ, СПАСИБО, Я ЛУЧШЕ ПЕШКОМ.

?
ГОСПОДИН ЭРЖЕ?

ПОЗВОЛЬТЕ ОТЦУ СЕМЕЙСТВА ВЫРАЗИТЬ ВАМ СВОЮ ДОСАДУ В СВЯЗИ С ПУБЛИКАЦИЕЙ ПРИКЛЮЧЕНИЙ ТИНТИНА В «УКРАДЕННОМ ВЕЧЕРЕ». МОИ ДЕТИ НЕ ПРОПУСКАЮТ НИ ОДНОГО ВЫПУСКА, НО ИЗ-ЗА ЭТОГО ОНИ ПОСТОЯННО СТАЛКИВАЮТСЯ С ЯДОМ НЕМЕЦКОЙ БЕЗБОЖНОЙ РЕЛИГИИ! БОЛЬШЕ НИКТО НЕ РАССКАЗЫВАЕТ ИМ О БОГЕ И КАТОЛИЧЕСКИХ ИДЕАЛАХ!
Я ВЕРЮ, ГОСПОДИН ЭРЖЕ, ЧТО ВАМ ЕЩЁ НЕ ПОЗДНО СДАТЬ НАЗАД!

Я... Я ПОДУМАЮ ОБ ЭТОМ... ПРОСТИТЕ МЕНЯ...

ЛЕВОЙ! ЛЕВ
ЛЕВОЙ! ЛЕВО
ВРУМ!

1944

БУАФОР. ДЕКАБРЬ 1943-ГО
ВЫ ПРАВЫ, ЭДГАР! ЭТО КАК РАЗ ТО, ЧТО НАМ НУЖНО!

УВЕРЕНЫ, ЧТО ТАМ НИКОГО?
ВРОДЕ КАК ДА.

ТЕПЕРЬ У НАС ЕСТЬ ВИЛЛА ПРОФЕССОРА БЕРГАМОТА!

ДУМАЮ, ПОРА УНОСИТЬ НОГИ.
ВРУМ!

ВРУУУМ!

ВРУУУУУМ!

ЕЩЁ ЧУТЬ-ЧУТЬ, И МЫ БЫ ОКАЗАЛИСЬ В, МЯГКО ГОВОРЯ, НЕЛОВКОЙ СИТУАЦИИ!
НУ ЧТО ТЫ, ВСЕ ЛЮБЯТ ТИНТИНА!

3 СЕНТЯБРЯ 1944 ГОДА. ОСВОБОЖДЕНИЕ БРЮССЕЛЯ

ВАЛАНДАЙ!
СВОЛОЧЬ!
ПРЕДАТЕЛЬ!
РВАЧ!
БИИИП!

ТЫ НЕ БЕЛЬГИЕЦ!

БОЖЕ, ОСВОБОДИ НАС ОТ НАШИХ ЗАЩИТНИКОВ И ЗАЩИТИ НАС ОТ НАШИХ ОСВОБОДИТЕЛЕЙ!

ПОЙДЁМ, ЖОРЖ. НАМ ЛУЧШЕ НЕ ВЫСОВЫВАТЬСЯ.

ПОЗЖЕ...
НАМ СЮДА!

БЕДНАЯ ЖЕРМЕН! НИ ГАЗЕТ, НИ ТИНТИНА, НИ ДЕНЕГ НА ОПЛАТУ ЖИЛЬЯ...

НЕ УНЫВАЙ, ЖОРЖ, ВСПОМНИ СЛОВА НАШЕГО ДОРОГОГО АББАТА ВАЛЛЕ: «СКАУТ СМЕЁТСЯ ОПАСНОСТИ В ЛИЦО!»

ДЗИНЬ!
Ж. и Ж. РЕМИ

ЖОРЖ РЕМИ? ПРОЙДЁМТЕ С НАМИ, ВЫ АРЕСТОВАНЫ.
?

ПЯТЬ МИНУТ, ГОСПОДА. ТОЛЬКО ЗАХВАЧУ СВОИ СИГАРЕТЫ!
КТО ТАМ, ЖОРЖ?

КАЖЕТСЯ, ЭТО ОН — АВТОР ТИНТИНА.
А ПОЧЕМУ МЫ ТОГДА ПРИШЛИ ЗА НИМ?

ЧТО ОН СЕБЕ ПОЗВОЛЯЕТ?
?

ГОСПОДА, Я ПОЛНОСТЬЮ К ВАШИМ УСЛУГАМ.

СИГАРЕТЫ КОНЧИЛИСЬ. ПРИШЛОСЬ ЧЕРЕЗ ЗАДНИЙ ХОД ЗАБЕЖАТЬ В МАГАЗИН.
ТАК ВЫ ЖЕ МОГЛИ И СБЕЖАТЬ!

ГДЕ ВАША МАШИНА?
МЫ НА ТРАМВАЕ!

ДЗИНЬ!

ЭДГАР! Я ОЧЕНЬ ВОЛНУЮСЬ! ЭТО УЖЕ ЧЕТВЁРТЫЙ РАЗ, КАК ОНИ ЕГО ЗАБИРАЮТ.

ТЮРЬМА СЕН-ЖИЛЯ? БЕДНЯГА!

ГОТОВЬСЬ. ЦЕЛЬСЬ... ПЛИ!

ПАМ! ПАМ! ПАМ!
СЛАВ КОРОЛ
СМЕРТЬ КОММУНЯК

С КАКИХ ПОР СТАЛО ПРИНЯТО УБИВАТЬ ЛЮДЕЙ ЗА СЛОВА? ВОТ ТЕБЯ ПОЧЕМУ ПОСАДИЛИ?
ЗА РАБОТУ НА «УКРАДЕННЫЙ ВЕЧЕР». Я ЭРЖЕ, АВТОР ТИНТИНА.
КОРОЛ
СМЕРТЬ КОММУНЯКАМ

РАЗЕ ТАК МОЖНО? ТИНТИНА В ТЮРЬМУ! ВОТ УВИДИШЬ, ВЛЕПЯТ НАМ ПО ДЕСЯТКЕ! ОНИ ТАМ ВСЕ С УМА ПОСХОДИЛИ!

СОВЕТ СОПРОТИВЛЕНИЯ
ГОСПОДА, НА ПОВЕСТКЕ СТОИТ ДЕЛО РЕМИ...

Я ТРЕБУЮ СТРОГОГО ИСПОЛНЕНИЯ УСТАНОВЛЕННЫХ ПРАВИЛ. «ВСЯКОМУ, КТО ПУБЛИКОВАЛСЯ С РАЗРЕШЕНИЯ ОККУПАЦИОННЫХ ВЛАСТЕЙ, ДОЛЖНО БЫТЬ ОТКАЗАНО В РАБОТЕ НА СМИ»...

ДУМАЕТЕ, МЫ ВЕРШИМ СПРАВЕДЛИВОСТЬ, НАПАДАЯ НА АВТОРА НЕВИННЫХ РИСУНКОВ ДЛЯ ДЕТЕЙ?

В ТОМ-ТО И ДЕЛО! ЭТОТ ПРЕДАТЕЛЬ ОТРАВИЛ БУДУЩЕЕ НАШЕЙ СТРАНЫ ДУХОМ КОЛЛАБОРАЦИОНИЗМА!

ГЛУПОСТИ! У БЕЛЬГИЙСКОЙ МОЛОДЁЖИ ТИНТИН СТАЛ ПРИМЕРОМ ДЛЯ ПОДРАЖАНИЯ! МЫ НЕ ВПРАВЕ РЕШАТЬ ЕГО СУДЬБУ!
БОМ

КАКОЙ ЖЕ ВЫ РОЯЛИСТ, ГОСПОДИН ЛЕБЛАН!
БЕЗМОЗГЛЫЙ ДОГМАТИК! КОММУНИСТ!
ПОЛНО, ГОСПОДА, УСПОКОЙТЕСЬ!

ДЗИНЬ!
Ж и Ж РЕМИ
КО МНЕ УЖЕ ЗАХОДИЛИ АГЕНТЫ НАЦИОНАЛЬНОЙ БЕЗОПАСНОСТИ, ЧЛЕНЫ СОПРОТИВЛЕНИЯ (НА МАШИНЕ И ПЕШКОМ), ПОЛИЦИЯ И ЖАНДАРМЫ. ОСТАВЬТЕ МЕНЯ В ПОКОЕ! Э.

РЕЙМОН ЛЕБЛАН.

ВАШЕ ПРЕДЛОЖЕНИЕ ВЕСЬМА СОБЛАЗНИТЕЛЬНО, ГОСПОДИН ЛЕБЛАН, НО, БОЮСЬ, ЕСТЬ РЯД ТЕХНИЧЕСКИХ ТРУДНОСТЕЙ...
?

СМЕРТЬ ПРЕДАТЕЛЯМ РОДИНЫ!
СМЕРТЬ ПРЕДАТЕЛЯМ РОДИНЫ!
СМЕРТЬ ПРЕДАТЕЛЯМ РОДИНЫ!

ЕСЛИ ВЫ О НЕХВАТКЕ БУМАГИ, ТО Я ЗАЙМУСЬ ЭТИМ.

Я ИМЕЛ В ВИДУ СВИДЕТЕЛЬСТВО ГРАЖДАНСКИХ ДОБРОДЕТЕЛЕЙ, БЕЗ КОТОРОГО МНЕ НЕЛЬЗЯ РАБОТАТЬ...

МОЖЕТЕ СЧИТАТЬ, ЧТО ВОПРОС РЕШЁН.
БУЛЬ БУЛЬ БУЛЬ

ПОРА...

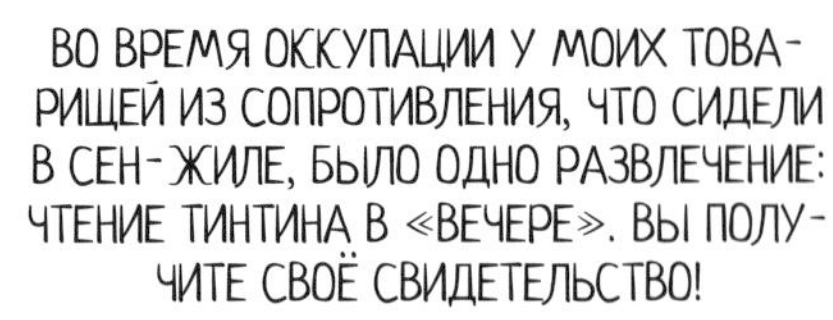
ВО ВРЕМЯ ОККУПАЦИИ У МОИХ ТОВАРИЩЕЙ ИЗ СОПРОТИВЛЕНИЯ, ЧТО СИДЕЛИ В СЕН-ЖИЛЕ, БЫЛО ОДНО РАЗВЛЕЧЕНИЕ: ЧТЕНИЕ ТИНТИНА В «ВЕЧЕРЕ». ВЫ ПОЛУЧИТЕ СВОЁ СВИДЕТЕЛЬСТВО!

ВОТ УВИДИТЕ, НАС ЖДУТ ВЕЛИКИЕ СВЕРШЕНИЯ!
МЕНЯ С ВАМИ СВЕЛА САМА СУДЬБА, ЛЕБЛАН!

ГОТОВЬСЬ. ЦЕЛЬСЬ... ПЛИ!

ЭДГАР? У МЕНЯ ХОРОШИЕ НОВОСТИ! У НАШЕГО ТИНТИНА БУДЕТ СВОЙ ЖУРНАЛ!
ЧТО?!

1948

ОЗЕРО ЛЕМАН. ШВЕЙЦАРИЯ

ШЕСТОЙ СТАКАН, ГОСПОДИН ЖОРЖ!
МАРИЯ, Я ТАК ЗАСМОТРЕЛСЯ НА ВАС, ЧТО СБИЛСЯ СО СЧЁТА.

ГР-Р-Р-Р
НЮХ-НЮХ

ГАВ!
УФ...

ГАВ! ГАВ! ГАВ!

ГАВ!
ГАВ!
ГАВ!

ПОЗВОЛЬТЕ МНЕ ПОМОЧЬ ВАМ, МАРИЯ.

МАДАМ, БУДЬТЕ ДОБРЫ, ЗАБЕРИТЕ ВАШУ ПСИНУ!
?

ВЫ ЧТО СЕБЕ ПОЗВОЛЯЕТЕ?! ВЫ ХОТЬ ПРЕДСТАВЛЯЕТЕ, С КЕМ РАЗГОВАРИ-ВАЕТЕ?
?

ВАШЕ... ВЕЛИЧЕСТВО?
ТАК ЭТО НАШ РЕМИ! ПРИСАЖИВАЙТЕСЬ, ДРУГ МОЙ.
УФ УФ

ВЫ ТОЖЕ ПРИЕХАЛИ СЮДА, ЧТОБЫ ЗАБЫТЬ О КОШМАРАХ ВОЙНЫ?
ЭМ... МОЖНО И ТАК СКАЗАТЬ, ГОСУДАРЬ.
ГР-Р-Р

БРЮССЕЛЬ
SPORT
ЧОРТ ПОБИРАЙ!

«ЧОРТ ПОБИРАЙ»? ХОРОШО, ТАК И ЗАПИШЕМ.
ТИНТИН
ДЗИНЬ
ДЗИНЬ

ТОП
ТОП
ТОП

ЗА СЕГОДНЯ ЭТО УЖЕ СЕМЬДЕСЯТ СЕДЬМОЙ ЗВОНОК ОТ ЧИТАТЕЛЕЙ. ГОСПОДИН ЛЕБЛАН, Я НЕ ЗНАЮ, ЧТО ИМ УЖЕ ГОВОРИТЬ!
?

ОНА ПРАВА, РЕЙМОН: ТАК БОЛЬШЕ НЕ МОЖЕТ ПРОДОЛЖАТЬСЯ!
НАДО НАЙТИ И ВЕРНУТЬ ЖОРЖА!

БЕЗ ПРОДОЛЖЕНИЯ «ХРАМА СОЛНЦА» ЖУРНАЛ ПОЙДЁТ КО ДНУ, А МЫ ВМЕСТЕ С НИМ.

СПОКОЙНО, ДРУЗЬЯ. НЕ БУДУ ЖЕ Я ОБРАЩАТЬСЯ В ИНТЕРПОЛ.

ДУМАЮ, Я ЗНАЮ, КАК УСПОКОИТЬ НАШИХ ЧИТАТЕЛЕЙ.

скандальные
ЭРЖЕ ПрОПАЛ

УВЕРЯЮ ВАС, МАРИЯ, ЭТО БЫЛ КОРОЛЬ!
АХ, ГОСПОДИН ЖОРЖ, НЕХОРОШО СМЕЯТЬСЯ НАД НАИВНОЙ ДЕВУШКОЙ.
ПОСМОТРИТЕ САМИ, ЕСЛИ МНЕ ВЫ НЕ ВЕРИТЕ.
ЛЕОПОЛЬД ТРЕТИЙ! МОЖНО Я ОСТАВЛЮ СЕБЕ?
БЕЛЬГИЯ
ЛЕОПОЛЬД III

ВЫ ПОЙДЁТЕ С НИМ ИГРАТЬ В ГОЛЬФ?
НЕ ДУМАЮ, МАРИЯ. ПОРА В БРЮС-СЕЛЬ.

А КАК ЖЕ НАШИ ПРОГУЛКИ ПОД ЛУНОЙ?
ХОТИТЕ СЕГОДНЯ?

СЕГОДНЯ Я СВОБОДНА ПОСЛЕ 11.

ДО ВСТРЕ-ЧИ!

БРЮССЕЛЬ
НУ ЧТО, ЕСТЬ ХОТЬ КАКИЕ-НИБУДЬ НОВОСТИ ОТ ЖОРЖА?
АХ, ЕСЛИ БЫ!

НУ ТАК ЧТО, ТЫ БУДЕШЬ ЗВОНИТЬ ИМ ИЛИ НЕТ?
А СМЫСЛ? ЗАВТРА ВСТРЕТИМСЯ.

ТАК НЕ ХОЧЕТСЯ УЕЗЖАТЬ. ЗДЕСЬ ХОРОШО, ВДАЛИ ОТ ВСЕЙ ЭТОЙ СУЕТЫ.
БУЛЬ БУЛЬ БУЛЬ БУЛЬ

ВИДИШЬ ЛИ, ШАРЛИ, Я ОСОЗНАЛ, ЧТО ПОРА ПОКОНЧИТЬ С ЭТИМ ВСЕМ И НАЙТИ НОВУЮ РАБОТУ, НОВЫХ ДРУЗЕЙ, НОВЫЙ ВЗГЛЯД НА ВЕЩИ...
И НОВУЮ ЖЕНЩИНУ?
ДЗИНЬ

ХР-Р-Р...

ИК!

МАРИЯ?

?

ВСЁ В ПОРЯДКЕ, ПАРНИ. ЭТО СВОЙ!

ЖОРЖ, ЧТО ВЫ ЗДЕСЬ ЗАБЫЛИ?
ЭТО ВЫ, ОТЕЦ ФЕСТЕН? ДА ТАК, Я... ПРОСТО ГУЛЯЛ.

НЕ ХОТИТЕ ПРОКАТИТЬСЯ?

КУДА МЫ ПЛЫВЁМ, ОТЕЦ?
ВО ФРАНЦИЮ.

КОНТРАБАНДА?
И-И-И-ИК

ОРУЖИЕ? НАРКОТИКИ?
ГРЕБИ ДАВАЙ.

А КОНТРАБАНДА ВЫМАТЫВАЕТ. НАДЕЮСЬ, ОНО СТОИТ ТОГО.

НА ЖИЗНЬ ХВАТАЕТ. ВО ВРЕМЯ ВОЙНЫ ЛЮДИ ЗАРАБАТЫВАЛИ БОЛЬШЕ.

ОСОБЕННО ТЕ, КТО ПЕРЕПРАВЛЯЛ ЕВРЕЕВ.

ВЫВОЗИЛИ ИХ ИЗ ФРАНЦИИ ВМЕСТЕ С ЗОЛОТОМ.

А НА ПОЛПУТИ БИЛИ ВЕСЛОМ ПО БАШКЕ И ЗАБИРАЛИ ВСЁ СЕБЕ!

КУ-КУ!

МАРИЯ! ГДЕ ВЫ БЫЛИ? Я ЖДАЛ ВАС.
ТАК ЛИЛО КАК ИЗ ВЕДРА!

НИЧЕГО. ЗАТО Я ПРОКАТИЛСЯ НА ЛОДКЕ С ОТЦОМ ФЕСТЕНОМ. ТОТ ЕЩЁ ПЕРСОНАЖ.
О, С НИМ ВАМ НЕЧЕГО БОЯТЬСЯ. ОН ЗНАЕТ ЭТО ОЗЕРО ЛУЧШЕ ВСЕХ...

ЭТО ОН ПЕРЕВОЗИЛ ЕВРЕЕВ ВО ВРЕМЯ ВОЙНЫ!
...

ПЛЮХ

1953

СЕРУ-МУСТИ
ВРУМ

ДА, ВОТ ТАК! КАК ПРИЯТНО! ПРОШУ, НЕ ОСТАНАВЛИВАЙТЕСЬ!

БЕРТЧЕ, ВАШИ ФЛЮИДЫ ТВОРЯТ НАСТОЯЩИЕ ЧУДЕСА!
ХЛОП
НЕГАТИВНЫЕ ВОЛНЫ ВСЁ ЕЩЁ ЗДЕСЬ.

НОГА НЕ ДАЁТ ТЕБЕ ПОКОЯ, ДОРОГАЯ?
ТЫ БЫ ЗНАЛ, КАК МНЕ СТАНОВИТСЯ ЛЕГЧЕ С БЕРТЧЕ!
ЧМОК

ТАМ!
ГДЕ «ТАМ»? ЧТО «ТАМ»?

ПОРТРЕТЫ!

НУ ДА, ПОРТРЕТЫ. ЧТО-ТО НЕ ТАК?
ЭТО ПЛОХИЕ ПОРТРЕТЫ!

А МНЕ ОНИ ОЧЕНЬ НРАВЯТСЯ! ОСОБЕННО ПОРТРЕТ ЖЕРМЕН. ОНА ТАМ ОЧЕНЬ ХОРОШО ПОЛУЧИЛАСЬ.
ИХ НАРИСОВАЛ НАШ ДРУГ ЖАК!

ПЛОХАЯ ЭНЕРГИЯ! ОНИ ОКАЗЫВАЮТ ТЛЕТВОРНОЕ ВЛИЯНИЕ! Я СОВЕТУЮ ВАМ ИЗБАВИТЬСЯ ОТ НИХ...

ТЛЕТВОРНОЕ?

ЕСЛИ ПОЗВОЛИТЕ, Я НАЛЬЮ СЕБЕ ЕЩЁ ЧУТЬ-ЧУТЬ!
ВЫ ЗНАЕТЕ, БЕРТЧЕ, ЖОРЖ И ЖАК ВСЕГДА БЫЛИ НЕ РАЗЛЕЙ ВОДА.
БУЛЬ БУЛЬ БУЛЬ

ЕЩЁ С ВОЙНЫ ЖАК АКТИВНО ПОМОГАЕТ ЖОРЖУ В РАБОТЕ НАД ТИНТИНОМ.

И ЖАК ВАН МАЛКЕБЕКЕ ДАЛЕКО НЕ ЗАУРЯДНЫЙ МУЖЧИНА! ОН КРАСИВ, УМЁН, ПИШЕТ КНИГИ И ДЕЛАЕТ ЧУДЕСНЫЕ ПОРТРЕТЫ!

К НЕСЧАСТЬЮ, ЭТОМУ МУЖЧИНЕ НЕ ВСЕГДА ВЕЗЛО ПО ЖИЗНИ!

ЕГО ПОСАДИЛИ НА ДВА ГОДА ЗА СОТРУДНИЧЕСТВО С ВРАГОМ! ИЗ-ЗА СТАТЕЙ, НАПИСАННЫХ ВО ВРЕМЯ ОККУПАЦИИ! НО ОН НЕ ЛЮБИТ ОБ ЭТОМ ГОВОРИТЬ!

ХУЖЕ ВСЕГО ТО, ЧТО ЕМУ ЗАПРЕТИЛИ ВЫСТАВЛЯТЬСЯ. ПОНИМАЕТЕ, КАК ЭТО ТЯЖЕЛО ДЛЯ ХУДОЖНИКА?
ПОНИМАЮ. МОЖНО МНЕ?..

ЖОРЖ НИКОГДА НЕ ОТВОРАЧИВАЛСЯ ОТ ЖАКА И ДАЖЕ ВЗЯЛ ЕГО НА ПОСТ ГЛАВНОГО РЕДАКТОРА «ТИНТИНА».

КОГДА ЕМУ ПРИПОМНИЛИ ЕГО ПРОШЛОЕ И ОН СТАЛ ПЕРСОНОЙ НОН-ГРАТА НА УЛИЦЕ ЛОМБАР, ЖАК ПРОДОЛЖИЛ ЗАНИМАТЬСЯ ЖУРНАЛОМ ИЗ НАШЕГО ДОМА!

И ЖОРЖ ПЛАТИЛ ЕМУ ИЗ СВОЕГО КАРМАНА. 8000 В МЕСЯЦ.
8000?!
КХЕ-КХЕ

ГРЕХ ЖАЛОВАТЬСЯ!

«СТУДИЯ ЭРЖЕ». БУЛЬВАР ЛУИЗ, БРЮССЕЛЬ
ПРИВЕТ, ЖАК.
ПРИВЕТ, ЖАК.
БИП

ХА-ХА! РАЗВЕЛОСЬ ЖЕ ЖАКОВ!
ОН У СЕБЯ?

НЕ СЛИШКОМ РАНО ДЛЯ ВИСКИ?
ПЛЕВАТЬ. НАЛИВАЙТЕ.
Ж. МАРТЕН

ВЫ ПРИШЛИ ПО ПОВОДУ ВАШЕГО СЦЕНАРИЯ?
АГА. НИ СЛОВА ЗА ТРИ МЕСЯЦА.
БУЛЬ БУЛЬ БУЛЬ

ЧТО ПОДЕЛАТЬ? ДЕЛОВОЙ ЧЕЛОВЕК!

А ВЫ НЕ СЛЫШАЛИ НОВОСТИ? ЕГО ОБДУРИЛ СЫН ТОЙ ВЕДЬМЫ БЕРТЧЕ: ПРОДАЛ КАРТИНУ ЗА ЦЕНУ В ДЕСЯТЬ РАЗ ВЫШЕ ИЗНАЧАЛЬНОЙ! СВОИМИ ГЛАЗАМИ ВИДЕЛ!

И ВЫ НИЧЕГО НЕ СКАЗАЛИ ЖОРЖУ?
СЕБЕ ДОРОЖЕ! ЛОПУХИ НЕ ЛЮБЯТ УЗНАВАТЬ, ЧТО ОНИ ЛОПУХИ, ОСОБЕННО ОТ СВОИХ ДРУЗЕЙ.

НО САМОЕ ЛЮБОПЫТНОЕ В ЭТОЙ ИСТОРИИ — ЭТО ТО, ЧТО ОН ПРОДОЛЖАЕТ ДОВЕРЯТЬ ЭТОЙ... ЭТОЙ ГОСПОЖЕ ИРМЕ!
ДА ОНИ ТАМ НАВЕЧНО?

ХА! СЛОВАРЬ ЛЕКСИЧЕСКИХ ТРУДНОСТЕЙ НЕ МОЖЕТ ОШИБАТЬСЯ!

«КРЕМ — СУЩЕСТВИТЕЛЬНОЕ МУЖСКОГО РОДА, КРЕМЫ ВО МНОЖЕСТВЕННОМ ЧИСЛЕ»! ЗНАЧИТ, У МЕНЯ ВСЁ БЫЛО НАПИСАНО БЕЗ ОШИБОК И ЭТО НАШ ПРИДИРЧИВЫЙ ЧИТАТЕЛЬ НЕ ЗНАКОМ С ПРАВИЛОМ.
Я ВАМ ТО ЖЕ САМОЕ ГОВОРИЛ ЕЩЁ ЧАС НАЗАД.

ЖАК! ЖОРЖ ГОТОВ ВАС ПРИНЯТЬ У СЕБЯ.

НУ ЧТО, НАКОНЕЦ-ТО ПОДЕЛИШЬСЯ СО МНОЙ СВОИМИ МЫСЛЯМИ НАСЧЁТ СЦЕНАРИЯ?
НЕ БУДУ ХОДИТЬ ВОКРУГ ДА ОКОЛО. ОН МНЕ НЕ ПОДХОДИТ, ЖАК.

ХОРОШО. МОЁ ДЕЛО ПРЕДЛОЖИТЬ. ТЫ ЖЕ ЗНАЕШЬ, Я ТВОЙ АВТОР ГЭГОВ. СКАЖИ, ЧТО ХОЧЕШЬ, И ТЫ ЭТО ПОЛУЧИШЬ.

БОЮСЬ, ЧТО ВСЁ НАМНОГО СЕРЬЁЗНЕЕ.

ЭТО КАСАЕТСЯ ТВОЕГО НАСТРОЯ. ТВОЕЙ УГРЮМОСТИ. ТВОЕЙ ЦИНИЧНОСТИ. У ТЕБЯ МРАЧНЫЕ МЫСЛИ, ЖАК. ТЛЕТВОРНЫЕ.
ТЛЕТВОРНЫЕ ДЛЯ ТИНТИНА, КАК МИНИМУМ.

«ДЛЯ ТИНТИНА»? БЕЗ МЕНЯ, ДУМАЕШЬ, ЧТО БЫЛО БЫ С «ЕДИНОРОГОМ», «СОКРОВИЩАМИ» И ТАК ДАЛЕЕ?

ТЫ НИКОГДА НЕ ЦЕНИЛ МОЮ РАБОТУ И МОИХ «ТИНТИНЯТ».
А САМ-ТО?

НЕСОСТОЯВШИЙСЯ ХУДОЖНИК, РАЗОЧАРОВАННЫЙ АВТОР. ПОНЯТНО, ПОЧЕМУ ЭДГАР УШЁЛ ОТ ТЕБЯ!
ЭДГАР ХОТЕЛ СВОЁ ИМЯ НА ОБЛОЖКУ.
ТИНТИН — ЭТО ЭРЖЕ.

ЕСЛИ МНЕ НЕ ИЗМЕНЯЕТ ПАМЯТЬ, ТО У ВЕЛИКОГО ЭРЖЕ НЕ БЫЛО И ТРЁХ АЛЬБОМОВ, КОГДА МЫ С НИМ ПОЗНАКОМИЛИСЬ. СЧАСТЛИВО ОСТАВАТЬСЯ!

ДИРЕКТОР
ХЛОП

ТЛЕТВОРНОЕ...

1956

«СТУДИЯ ЭРЖЕ», БРЮССЕЛЬ
РАЗРАЗИ МЕНЯ ГРОМ!
ПЫНЬК

?
БУМС

А-А-А-А!

А НАШ БОБ СЕГОДНЯ В УДАРЕ, НЕ ТАК ЛИ, ФАННИ?

НАЧАЛЬНИК УМЕЕТ ВЫБИРАТЬ КОЛОРИСТОК!
СМАХИВАЕТ НА ГРЕТУ ГАРБО.
БУМС

ДЕРЖИТЕ, ШЕФ!

ВОЛЬНО, КА-ПИТАН!

ПРОДОЛЖИМ НАШ СЕАНС РИСУНКА В СЕ-ВЕРНОМ МОРЕ!

ПРАВ-ДА?
ДВА БИЛЕТА АНТВЕРПЕН — ГЁТЕБОРГ НА БОРТУ «КОРОЛЕВЫ АСТРИД»!

КОРОЛЕВА АСТРИД
ОДЕВАЙСЯ ПОТЕПЛЕЕ, ЖОРЖ. НОЧЬЮ В ШВЕЦИИ ОЧЕНЬ ХОЛОДНО!

ЖЕРМЕН, НАСТОЯЩИЕ МОРСКИЕ ВОЛКИ НЕ БОЯТСЯ ПРОСТУДЫ.

ТРУ-У-УТ!

ПРЕДЛАГАЮ ВЫПИТЬ ЗА УСПЕХ «АКУЛ КРАСНОГО МОРЯ»! СКЁЛЬ!

ВОТ ЖЕ ДАЁТЕ! ТРИ ДНЯ В МОРЕ, ЧТОБЫ РИСОВАТЬ ТИНТИНЯТ!
ХЛОП

ВИДИТЕ ЛИ, КАПИТАН, Я ХОЧУ, ЧТОБЫ ВСЁ БЫЛО КАК В ЖИЗНИ!

НУ И ПЕРСОНАЖ ЭТОТ КАПИТАН АНДЕРСЕН! ИК!
ИК!

КЛАЦ

УХ!
ИК!

ЗЫБУЧИЕ ПЕСКИ
?

ШАРФ НЕ ЗАБУДЬ, КРЫХИТКО!
ШВЕЦИЯ

ТЫ НЕ МОЖЕШЬ ОСТАВИТЬ ЖЕРМЕН!
?

ДАВАЙ, ДАВАЙ, СКОРЕЙ НА СЕВЕР. ГРЕТА ГАРБО ЖДЁТ ТЕБЯ!

НЕТ! НЕТ!
ИК?

ШЕФ, СМОТРИТЕ, КАКИЕ ВЕНТИЛЯЦИОН-НЫЕ ТРУБЫ!

ГОТОВО! У МЕНЯ ЕСТЬ ВСЁ, ЧТО НУЖНО!

ГИДРАНТЫ, ТАБЛИЦА СМЕН, УЗКИЕ ПРОХОДЫ ВДОЛЬ БОРТА, РУЛЕВАЯ РУБКА И ДАЖЕ ДВЕРНЫЕ РУЧКИ...

ГОСПОДА, ВЫ ВСЁ РАБО-ТАЕТЕ? ПОРА ПРОМОЧИТЬ ГЛОТКИ!

ВЫ ПРАВЫ, КАПИТАН! НАДО ВЫПИТЬ!

ГЁТЕБОРГ
ИК!
ИК!

ВЕР ИЗ ГРЕТА ГАРБО?

НЕСКОЛЬКО НЕДЕЛЬ СПУСТЯ...
ВЫ БЫ ВИДЕЛИ ЭТО! НАЧАЛЬНИК БЕЗ ОСТА-НОВКИ КРИЧАЛ: «ВЕР ИЗ ГРЕТА ГАРБО?»

ХА-ХА-ХА-ХА-ХА-ХА-ХА-ХИ-ХИ-ХИ-ХИ-ХИ-ХИ-ХИ-ХА-ХА!

ПОЙДЁМТЕ, ФАННИ, ВСЕ УЖЕ ДАВНО УШЛИ!

СЕЙЧАС-СЕЙЧАС, ШЕФ.

НУ ЧТО ЖЕ, ВПЕРЕДИ ДЛИН-НЫЕ ВЫХОДНЫЕ?

ДА... Я БЫ СКАЗАЛА, ДАЖЕ СЛИШКОМ ДЛИННЫЕ...

ХА-ХА-ХА!
БАМС
АЙ!

1959

?

КРАК!

НЕТ!

ЦЮРИХ
МНЕ БЫЛО СТРАШНО. Я ПОНИМАЛ, ЧТО ОН СБРОСИТ МЕНЯ В ПРОПАСТЬ. МНЕ НАДО БЫЛО ПОДНЯТЬСЯ, НО ОН ПРЕГРАЖДАЛ МНЕ ПУТЬ, И Я НЕ МОГ ПРОЙТИ!

КОШМАР С БЕЛЫМ ДЬЯВОЛОМ НАПРЯМУЮ СВЯЗАН С ВАШЕЙ РАБОТОЙ.

ДА, СОБЫТИЯ «ТИНТИНА В ТИБЕТЕ» В ОСНОВНОМ ПРОХОДЯТ В СНЕГАХ. МОИ ГЕРОИ ОТПРАВЛЯЮТСЯ НА ПОИСКИ ЙЕТИ.

СТРАШНЫЙ СНЕЖНЫЙ ЧЕЛОВЕК... БЕЛЫЙ ДЬЯВОЛ!

НЕ ХОЧУ ЛИШАТЬ ВАС НАДЕЖДЫ, НО ВАМ НЕ ЗАКОНЧИТЬ ЭТОТ ПРОЕКТ. СТОИТ ВСЕРЬЁЗ ЗАНЯТЬСЯ ТЕМ, ЧЕРЕЗ ЧТО СЕЙЧАС ПРОХОДИТ ВАШ БРАК...

И УБИТЬ В СЕБЕ ДЕМОНА НЕВИННОСТИ!

ПРОФЕССОР
С. Г. РИКЛИН
ПСИХОТЕРАПЕВТ

ТАКСИ!
ШМЕКЕР
ТАКСИ

В АЭРОПОРТ, БИТТЕ!
ВРУ-У-УМ!
ХЛОП
ТАКСИ

АЭРОПОР
ТАКСИ
SWISSAIR

ЖЕРМЕН?
AIR FRAN
SWISSAIR
БРЮССЕЛЬ
SABENA
ТЕЛЕФОН

ДА, ВСЁ ХОРОШО... Я ВЕРНУСЬ ПОСЛЕЗАВТРА, КАК И ПЛАНИРОВАЛ.

SWISSAIR

ВЫХОД

ФАННИ!

Отель на озере

ТУК-ТУК

ДОБРОЕ УТРО. КАК ТЫ?
МАЛО СПАЛ.

ТЕБЯ СНОВА МУЧАЮТ КОШМАРЫ?
НЕ ЭТОЙ НОЧЬЮ...

А ЧТО НА ЭТОТ СЧЁТ ГОВОРИТ ВЫДАЮЩИЙСЯ ПРОФЕССОР РИ-КЛИН?

СКАЗАЛ, ЧТО НАДО РА-ЗОБРАТЬСЯ СО СВОИМИ ДЕМОНАМИ И ОСТАВИТЬ РАБОТУ НАД «ТИБЕ-ТОМ».
?

ДУМАЕШЬ ВСЁ БРОСИТЬ НА ПОЛПУТИ? ПОВЕР-НУТЬ НАЗАД У САМОЙ ВЕРШИНЫ?

НЕ ЗНАЮ.

НО Я ТОЧНО ЗНАЮ, ЧТО НЕ ХОЧУ ВПУ-СТУЮ ПОТРА-ТИТЬ ЭТОТ ДЕНЬ. ТОЛЬКО ТЫ, Я И БОЛЬШЕ НИКОГО!

ЗООПАРК
ВХОД
КАССА

МОРЩИНЫ ВАС НЕ КРАСЯТ, ГОСПОДИН ЭРЖЕ!

ЛЕБЛАН ЖДЁТ. СТУДИЯ ЖДЁТ. ВСЕМ ПОСТОЯННО ЧТО-ТО НУЖНО ОТ МЕНЯ. ПУФ, ПУФ, ПУФ...

ТАК ЧТО ЖЕ ТЕБЕ МЕШАЕТ?

Я НЕ ХОЧУ РАЗБИРАТЬСЯ СО ВСЕМ ЭТИМ БЕЛЫМ...

ЭЙ, Я СПРОСИЛА ЭРЖЕ, А НЕ ПРОФЕССОРА РИКЛИНА.
БУМ
Я НЕ В ВОСТОРГЕ ОТ КОНЦА.

ЙЕТИ ОКАЖЕТСЯ УЛОВКОЙ. МОЖЕТ, НЕ СТОИТ ЕГО И ПОКАЗЫВАТЬ...

ЭТО ИСТОРИЯ О ЛЮБВИ! О ДРУЖБЕ! ПРИЧЁМ ЗДЕСЬ ЭТОТ СТРАШНЫЙ СНЕЖНЫЙ ЧЕЛОВЕК?

ПОЧЕМУ ТЫ СЧИТАЕШЬ ЕГО СТРАШНЫМ? МНЕ ОН КАЖЕТСЯ ДОВОЛЬНО МИЛЫМ! ЭТО ЖЕ ОН СПАСАЕТ ЧАНА?

?!

МИЛАЯ, Я БЫЛ СЛЕП, НО ТЫ ОТКРЫЛА МНЕ ГЛАЗА!
?

ВЫХОД

1960

БУЛОНЬ-БИЙАНКУР
ОАО КИНО СТУДИЯ

ЖАН-ПЬЕР, ВЫШЕ НОС, ДЕРЖИТЕСЬ ПРЯМО!
КАК ТИНТИН!

ИСТОРИ-ЧЕСКОЕ ФОТО!
ВСПЫШ
ЭРЖЕ, ЕЩЁ ОДНО ФОТО!
ГАВ!

ПРОШУ ПРОЩЕНИЯ, НО РАБОТА НЕ ЖДЁТ!
ГОСПОДИН ЭРЖЕ, ПАРУ СЛОВ ДЛЯ РАДИО «ЛЮКСЕМ-БУРГ».

ТИНТИН В КИНО: СКАЗКА СТАЛА ЯВЬЮ?
УВИДИТЕ САМИ! МЫ СОБИРАЕМСЯ ЗАПИСАТЬ ПЕРВЫЕ ПРОБЫ ДЛЯ «ТИНТИНА И ЗОЛОТОГО РУНА».

КАК ДАВНО ВЫ МЕЧТАЛИ О ШИРОКОМ ЭКРА-НЕ?
ОХ, МЫСЛИ О ФИЛЬМЕ МЕНЯ ЧАСТО ПОСЕЩАЛИ. МОГЛО СТАТЬ-СЯ, ЧТО САМ КУСТО БЫЛ БЫ РЕЖИССЁРОМ «КРАСНОГО РОКА-МА».

«ЗОЛОТОЕ РУНО» — ЭТО НОВАЯ ИСТОРИЯ?
ТАК И ЕСТЬ. НАШ ПРОДЮСЕР АНДРЕ БАР-РЕ УБЕДИЛ МЕНЯ В НЕОБХО-ДИМОСТИ ОРИГИ-НАЛЬНОГО СЦЕНА-РИЯ.

ВАШЕГО АВТОРСТВА?
НЕТ, НО Я УЧАСТВОВАЛ В РАБО-ТЕ НАД КОНЕЧНОЙ ВЕРСИЕЙ.

ЖАН-АНРИ, ОСТАВЬТЕ ПСА В ПОКОЕ!
Я ХОЧУ, ЧТОБЫ ТИНТИН ОСТАЛСЯ МОИМ ТИНТИ-НОМ...
ГР-Р-Р.

ПОСМОТРИТЕ НА НЕГО! Я ИГРАЮ В ЭТОМ ФИЛЬМЕ!
ДАЙТЕ МНЕ ПРОЙТИ!
ВХОД ТОЛЬКО ДЛЯ ПЕРСОНАЛА
ГРИМЁРКА В ЭТОЙ СТОРОНЕ.

СТО ТЫСЯЧ АКУЛ МНЕ В ГЛОТКУ!
ТУК-ТУК!

ЖОРЖ, ПОЗВОЛЬТЕ ПРЕДСТАВИТЬ ВАМ ЖОРЖА ВИЛЬСОНА. ЭТО ОН ИСПОЛНИТ РОЛЬ ЛЕГЕНДАРНОГО ХЭДДОКА.
ТОЛЬКО ЕСЛИ БОРОДА ПЕРЕСТАНЕТ ПОСТОЯННО ОТЛИПАТЬ.

ГОСПОДИН БАРРЕ...
СКАНДАЛ! УЖАС! КАК МОЖНО?!

Я ЗАЙМУСЬ ЕЮ!
...ВОТ ВЕДЬМА!
МОЖЕТ, НЕ НАДО ТАК МНОГО, М?

ДРУЗЬЯ, ПРОШУ ПРОСТИТЬ МЕНЯ... СЮЗИ ОТВЕДЁТ ВАС ПРЯМО НА ПЛОЩАДКУ.
МОЖЕТ, БОЛЬШЕ ЖЁЛТОГО НЕ ПОМЕШАЕТ...

КАК Я ВЫГЛЯЖУ?
НЕМНОГО БЛЕДНЫМ.
АХ! СМЕШНО-О...

ЖАН-ЖАК ВЬЕРН. РЕЖИССЁР.

КАКУЮ СЦЕНУ БУДЕТЕ СНИМАТЬ?

ТИШИНА... МОТОР... ПОЕХАЛИ!
КЛАК!
ТАЙНА ЗОЛОТОГО РУНА
КАРРЕ
ПАПАРАНИК
(12)

Я ТРЕБУЮ, ЧТОБЫ МЕНЯ ПУСТИЛИ К ЭРЖЕ!
БЛОНГ
СТОП!

ГОСПОДИН ЭРЖЕ! Я ОТКАЗАЛАСЬ ОТ МНОЖЕСТВА ПРЕДЛОЖЕНИЙ, ЧТОБЫ СЫГРАТЬ В ВАШИХ «ТИНТИНЯТАХ», И СЕГОДНЯ МНЕ СООБЩАЮТ, ЧТО МОЮ РОЛЬ ВЫРЕЗАЛИ ИЗ СЦЕНАРИЯ!
ПРОСТИТЕ, А КТО ВЫ, ГОСПОЖА?

КАСТАФЬОРЕ, КОНЕЧНО ЖЕ!
АХ! СМЕШНО-О-О-О!
ВЫРЕЗАЛИ?

РАБОТА ПЕВИЦЫ ЗАНИМАЕТ ВСЁ МОЁ ВРЕМЯ, НО Я СОГЛАСИЛАСЬ СНЯТЬСЯ У ВАС, ЧТОБЫ ПОРАДОВАТЬ СВОЕГО ПЛЕМЯННИКА... ПРЕДСТАВЬТЕ, КАК ЕМУ БУДЕТ ОБИДНО!
БАРРЕ! ЧТО ВЫ СДЕЛАЛИ С КАСТАФЬОРЕ?
ЖОРЖ, Я ВАМ СЕЙЧАС ВСЁ ОБЪЯСНЮ.

НАМ НЕ ХВАТИЛО БЮДЖЕТА, ПОЭТОМУ ПРИШЛОСЬ УКОРОТИТЬ СЦЕНАРИЙ.

У МЕНЯ В КОМИКСАХ НИКОГДА НЕ БЫЛО ПОДОБНЫХ ПРОБЛЕМ!
В ЭТОМ И ЕСТЬ ОСОБЕННОСТЬ КИНО, ЖОРЖ.
ГРРР...
АААЙ!
А Я ПРЕДУПРЕЖДАЛА ВАС, ЖАН-АНРИ!

У НАС И ТАК МНОГО ПЕРСОНАЖЕЙ, И МЫ НЕ МОЖЕМ ПОЗВОЛИТЬ, ЧТОБЫ БЬЯНКА КАСТАФЬОРЕ БЫЛА ЛИШЬ НА ЗАДНЕМ ПЛАНЕ. ЕСЛИ МЫ БУДЕМ СНИМАТЬ ПРОДОЛЖЕНИЕ, ТО ОБЯЗАТЕЛЬНО ПОЗОВЁМ ВАС.

БУДЕТ КРАСИВО!
А ПОКА, ЕСЛИ ВАШ ПЛЕМЯННИК ХОЧЕТ, ВЫ МОЖЕТЕ ОСТАТЬСЯ НА СЪЁМОЧНОЙ ПЛОЩАДКЕ!

ХА-ХА-ХА... ЗНАЯ, ЧТО ЭТОТ СТАРЫЙ КОРСАР ПАПАРАНИКА ТАЙКОМ ПРОДАВАЛ В ТЕТАРАГУА!
БУДЕТ КРАСИВО!

НУ ЧТО, ПАРЕНЬ, ТЕБЕ ПОНРАВИЛСЯ ТИНТИН?
ЩАДКА №8

СДЕЛАЙТЕ ЧТО-НИБУДЬ С ЭТОЙ БОРОДОЙ.
ОН ИГРАЛ КАК БРЕВНО.
?

АХ! СМЕШНО-О!
К ТОМУ ЖЕ В КОМИКСАХ У КАПИТАНА ХЭДДОКА ДРУГОЙ ГОЛОС!

1966

Госиникс и Удерзокс
ФЕНОМЕН АСТЕРИКСА: за две недели было прода
экземпляров «Астерикса в Брета
Новая серия комиксо

«СТУДИЯ ЭРЖЕ». БРЮССЕЛЬ
ДА, Я ЧИТАЛ... И ЧТО ТЕПЕРЬ?
ЗНАЧИТ, И НАМ ДАВНО ПОРА ДЕЙСТВОВАТЬ.
ЧТО ВЫ ПРЕДЛАГАЕТЕ, ЛУИ-РОБЕР? ЧТОБЫ МЫ С БОБОМ ПЕРЕОДЕЛИСЬ В ТИНТИНА И СНЕЖКА?

ЭКСПРЕС
КТО ЗАНИМАЕТСЯ МАРКЕТИНГОМ В «КАСТЕРМАНЕ»? ВАШЕ ИЗДАТЕЛЬСТВО НЕ ИСПОЛЬЗОВАЛО НИ ДВАДЦАТЬ ЛЕТ СУЩЕСТВОВАНИЯ ЖУРНАЛА «ТИНТИН», НИ МУЛЬТФИЛЬМЫ НА ОРТФ ДЛЯ РЕКЛАМЫ МОИХ КОМИКСОВ.
ЭКСПРЕС
ПРОШЛО ТРИ ГОДА С ВЫХОДА «ДРАГОЦЕННОСТЕЙ», И БОЛЬШИНСТВУ ВАШИХ АЛЬБОМОВ БОЛЬШЕ ДЕСЯТИ ЛЕТ...

ГОВОРЮ ВАМ, НУЖЕН НОВЫЙ «ТИНТИН».
МЕЧТАТЬ НЕ ВРЕДНО.
ЕСЛИ ПОЗВОЛИТЕ, УЖЕ ПОЛДЕНЬ, МНЕ ПОРА...

КУДА ОН ТАК ТОРОПИТСЯ?
ПЯТЬ МИНУТ ПЕРВОГО, ГОСПОДИН КАСТЕРМАН! ГАЛЕРЕЯ «КАРФУР»...
ХОДИТ ТУДА КАЖДЫЙ ДЕНЬ. НИЧЕГО, КРОМЕ КАРТИН И СОВРЕМЕННОГО ИСКУССТВА...
БИП!

БОБ, КАК МНЕ УБЕДИТЬ ЕГО СНОВА ВЗЯТЬСЯ ЗА КОМИКСЫ?
ЭХ...

ГАЛЕРЕЯ КАРФУР
Rekord

* ФРЕНЧ: 1/3 ДЖИНА, 2/3 ВЕРМУТА.

БУЛЬВАР ФРЕ, БРЮССЕЛЬ

ДЗИНЬ!

ЖОРЖ! К ТЕБЕ ПРИШЁЛ ТВОЙ ПРОФЕССОР.

АХ, ВАН ЛИНТ! ПОЙДЁМТЕ, Я ВАМ КОЕ-ЧТО ПОКАЖУ!

Я РЕШИЛ НАЗВАТЬ ЕЁ «ГЕРОЙ СНА»...

В ВАШЕЙ КИСТИ ЕСТЬ ЧТО-ТО ОТ МИРО. ОЧЕНЬ ИНТЕРЕСНО...
ХОТЯ...

Я БЫ ДОБАВИЛ ЧУТОЧКУ ЛИЛОВОГО.
ЧТОБЫ ВЫДЕЛИТЬ БЕЛЫЙ!

А ТЫ САМ ЧТО ДУМАЕШЬ?
Я ЖДУ МОМЕНТА ИСТИНЫ.

ВРУ-У-У-У-УМ!
В.ВАНХИ

ЗАХОДИТЕ, ДРУГ МОЙ! Я ВАС ЖДАЛ.
Я ОЧЕНЬ БЛАГОДАРЕН, ЧТО ВЫ СОГЛАСИЛИСЬ ПРИНЯТЬ МЕНЯ, ГОСПОДИН КУРАТОР.

НУ КОНЕЧНО, Я ЖЕ БОЛЬШОЙ ПОКЛОННИК ЭРЖЕ.
ЭРЖЕ РИСУЕТ ТИНТИНА, НО СЕГОДНЯ К ВАМ ПРИШЁЛ ЖОРЖ РЕМИ, КОТОРЫЙ ПИШЕТ КАРТИНЫ!

КАКОВ БУДЕТ ВАШ ВЕРДИКТ?
Я ВСЕГО ЛИШЬ СПЕЦИАЛИСТ ПО ФЛАМАНДСКОМУ ИСКУССТВУ. ОДНАКО...

?
КУДА ЖЕ Я ИХ ЗАДЕВАЛ? АГА, ВОТ ОНИ!

ПОЗВОЛЬТЕ МНЕ БЫТЬ С ВАМИ ПОЛНОСТЬЮ ОТКРОВЕННЫМ?
Я ЗАТЕМ И ПРИШЁЛ К ВАМ.
ЧЁРНЫЙ ОСТРОВ

ВЫ ИНТЕРЕСНО ПИШЕТЕ, НО У ВАС ДРУГОЕ ПРИЗВАНИЕ.
ТАИНСТВЕННАЯ ЗВЕЗДА
ТИНТИН В КОНГО

НЕ МАСЛОМ, А КИТАЙСКОЙ ТУШЬЮ ВЫ ОСТАВИТЕ СВОЙ СЛЕД В ИСТОРИИ!

ГАЛЕРЕЯ КАРФУР
МАРСЕЛЬ, ДРУГ МОЙ, Я РЕШИЛ ПРИНЯТЬ ТВОЁ ПРЕДЛОЖЕНИЕ...

НО ДОЛЖЕН ПРЕДУПРЕДИТЬ ТЕБЯ, ЧТО Я НЕ СТАНУ ХУДОЖНИКОМ!
КАКАЯ РАЗНИЦА? ГЛАВНОЕ, ПОДПИСЬ НЕ ЗАБУДЬ ПОСТАВИТЬ.

ПОДПИСЬ? ОТ ЧЬЕГО ИМЕНИ?
ЭРЖЕ, КОНЕЧНО!

1971

РОЧЕСТЕР, МИННЕСОТА

ЗНАЕШЬ ЛИ, ПРЕОДОЛЕТЬ 10 000 КИЛОМЕТРОВ, ЧТОБЫ УЗНАТЬ, ЧТО МОИ ПРОБЛЕМЫ С УСТАЛОСТЬЮ И ЭКЗЕМОЙ ЛЕГКО ЛЕЧАТСЯ С ПОМОЩЬЮ ОБЫЧНОЙ СОЛИ...

СКОРАЯ
ЬНИЦА
МАЙО

ГЛАВНОЕ, ЧТО НИЧЕГО СЕРЬЁЗНОГО.
ГЛАВНОЕ, ЧТО МНЕ СКАЗАЛИ ВОЗДЕРЖАТЬСЯ ОТ САНСЕРРСКОГО ВИНА.

ТЫ СВЯЗАЛАСЬ С ГОСПОЖОЙ ОДНО ПЕРО?

ОНА ЖДЁТ НАС В ПАЙН-РИДЖ.
Coca-Cola
PEPSI

БЕНЗИН
ЛУЗЕР СИУ

ПАЙН-РИДЖ, ЮЖНАЯ ДАКОТА
ГОСПОЖА ОДНО ПЕРО, Я К ВАМ С ПИСЬМОМ ОТ НАШЕГО ОБЩЕГО ДРУГА.

ЛАКОТА ИШНАВА!
«ОДИНОКИЙ СИУ». ТАК ИНДЕЙЦЫ ПРОЗВАЛИ ОТЦА ГАЛЛА.

ЛАКОТА ПРОСИТ, ЧТОБЫ Я ПОКАЗАЛА ВАМ РЕЗЕРВАЦИЮ. СЕГОДНЯ ВЕЧЕРОМ В ПУСТОШАХ ПРОХОДИТ ПАУ-ВАУ.

НАСТОЯЩИЙ ПАУ-ВАУ! Я МЕЧТАЛ ОБ ЭТОМ, КОГДА БЫЛ ЕЩЁ КРАСНОКОЖИМ СКАУТОМ.
ХР-Р-Р-Р...

КАК ТУТ УБОГО!
«ЧЕЛОВЕК СТРАДАЕТ ОТ ЖАЖДЫ ВЛАДЕТЬ ТЕМ, ЧТО ПО СУТИ ЕСТЬ ПРЕХОДЯЩЕЕ», — ГОВОРИЛ АЛАН УОТС.

Esso

ВЫПЕЙ С ЭДГАРОМ КРАСНЫМ ОБЛАКОМ, БЕЛЫЙ ЧЕЛОВЕК.
ЭТО ВНУК ВОЖДЯ КРАСНОЕ ОБЛАКО.

ЖОРЖ, НЕ ЗАБЫВАЙ, ЧТО ТЕБЕ СКАЗАЛИ ВРАЧИ.
ГУЛЬБ
ЭТО ЖЕ НЕ САНСЕРРСКОЕ, А ТЁПЛОЕ ПИВО.

ХА-ХА-ХА-ХА!
ХЛОП
ТЬФУ...

ХИ-ХИ!

CHEVROLET
СИУ

СМОТРИ, ГОСПОЖА ОДНО ПЕРО.
У МЕНЯ ПОДАРОК ОТЦУ ГАЛЛУ! ИНДЕЙСКОЕ ЛЕКАРСТВО...

БРЮССЕЛЬ
ТАМОЖНЯ
ЭТО ПОДАРОК ЗНАКОМОМУ СВЯЩЕННИКУ...
НЮХ?
ELLE
TIME

АББАТСТВО СКУРМОН
НЕ ТРАВКА, А БЛАГОДАТЬ!

1975

БРЮССЕЛЬ
НАМ СЮДА.
ГОЛУБОЙ ЛОТОС
ОПЯТЬ КИТАЙСКИЙ РЕСТОРАН?

ВЫ, СЛУЧАЙНО, НЕ ЗНАКОМЫ С ЧАНОМ ЧУНЖЭНЕМ? ЭТО МОЙ КИТАЙСКИЙ ДРУГ. МНОГО ЛЕТ НАЗАД ОН ЖИЛ В БРЮССЕЛЕ.

ПРОШУ ПРОЩЕНИЯ, НО ЭТО ВЬЕТНАМСКИЙ РЕСТОРАН.
?

ШАНХАЙ
就生这一个

安于现状

ТУК-ТУК.

ЧАН?

ВАМ ЗАПИСКА ОТ МОЕГО БРАТА. ОН ЗАВЕДУЕТ РЕСТОРАНОМ В БРЮССЕЛЕ И ПРОСИЛ ПЕРЕДАТЬ АДРЕС ЧЕЛОВЕКА, КОТОРЫЙ ДАВНО ПЫТАЕТСЯ СВЯЗАТЬСЯ С ВАМИ...
?

ЭТО ЧЕЛОВЕК С ЗАПАДА. КАКОЙ-ТО ЕВРОПЕЙСКИЙ ХУДОЖНИК ПО ИМЕНИ ЭР...
ЭРЖЕ!

ПРЕКРАСНО, ГОСПОДИН ЧАН, ЗНАЧИТ, В СКОРОМ ВРЕМЕНИ ВЫ ПОЛУЧИТЕ ПИСЬМО ОТ ВАШЕГО СТАРОГО ДРУГА...

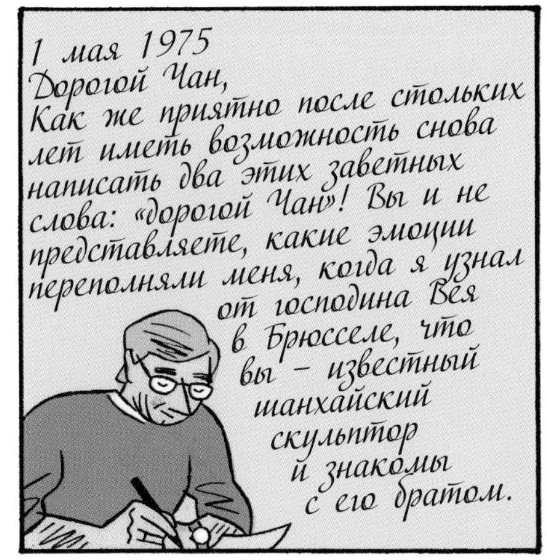
1 мая 1975
Дорогой Чан,
Как же приятно после стольких лет иметь возможность снова написать два этих заветных слова: «дорогой Чан»! Вы и не представляете, какие эмоции переполняли меня, когда я узнал от господина Вея в Брюсселе, что вы – известный шанхайский скульптор и знакомы с его братом.

заверить вас, что я ваш преданный друг, искренне благодарный не только за помощь, которую вы оказали мне в моей работе. Без вас моя жизнь пошла бы по совершенно иному пути. С вами я открыл для себя поэзию и испытал чувство единения человека со Вселенной.
SABENA

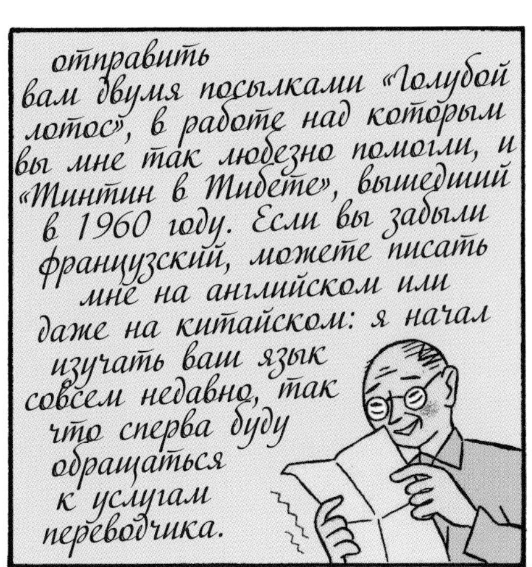
отправить вам двумя посылками «Голубой лотос», в работе над которым вы мне так любезно помогли, и «Тинтин в Тибете», вышедший в 1960 году. Если вы забыли французский, можете писать мне на английском или даже на китайском: я начал изучать ваш язык совсем недавно, так что сперва буду обращаться к услугам переводчика.

ТАМОЖНЯ, ШАНХАЙ

ДУМАЛ, СМОЖЕШЬ ПРОТАЩИТЬ В НАШУ НАРОДНУЮ РЕСПУБЛИКУ ЭТУ КОНТРРЕВОЛЮЦИОННУЮ ОТРАВУ? ПО ЛАГЕРЯМ СОСКУЧИЛСЯ, ТОВАРИЩ ЧАН?

ЭТО ДОЛГАЯ И ПРЕКРАСНАЯ ИСТОРИЯ, ТОВАРИЩ. Я ПРИНИМАЛ УЧАСТИЕ В СОЗДАНИИ ЭТОЙ КНИГИ.
ТОГДА ГДЕ ТВОЁ ИМЯ?

ВОТ ЖЕ, СМОТРИТЕ! ПОД ЭТИМИ АНТИЯПОНСКИМИ ИЕРОГЛИФАМИ ЕСТЬ МОЯ ПОДПИСЬ.
?

И ЧАН НА ВСЕХ ЭТИХ СТРАНИЦАХ, ЭТО ТОЖЕ Я!
ДА ОТДАЙ ЕМУ КНИГИ, ВАН...

СТАРИК СОВСЕМ ВЫЖИЛ ИЗ УМА.

ЖОРЖ! ЧЕМ ТЫ ЗАНЯТ?
吃苦耐劳

РАЗ ЧАН ВЫШЕЛ НА СВЯЗЬ, ПОРА ГОТОВИТЬСЯ К ПОЕЗДКЕ В КИТАЙ И УЧИТЬ ЯЗЫК.

吃苦耐劳
ЧИН ЧОН!

1977
СЕРУ-МУСТИ

ВСТРЕЧАЛСЯ С КАСТЕРМАНАМИ. У «ПИКАРОСОВ» ПРЕКРАСНЫЕ ПРОДАЖИ.
ТОГДА ПОЧЕМУ ТЫ ТАКОЙ ГРУСТНЫЙ?

ПОСЛЕ ВЫХОДА СТАТЬИ О «ТИНТИНЕ В КОНГО» МЕНЯ ЗАКЛЕЙМИЛИ РЕАКЦИОНЕРОМ И ДАЖЕ ФАШИСТОМ!

А В ОДНОЙ УЛЬТРАПРАВОЙ ГАЗЕТЕ МЕНЯ НАЗВАЛИ «ТУМАПАРОССКИМ МАРКСИСТОМ ИЗ ЛАТИНСКОГО КВАРТАЛА»!

ТО Я ПРАВЫЙ, ТО Я ЛЕВЫЙ... МОЖЕТ, ОНИ УЖЕ ОПРЕДЕЛЯТСЯ? Я ЛИШЬ ПЫТАЮСЬ БЫТЬ ХОРОШИМ ЧЕЛОВЕКОМ.

Я ДЕЛАЮ, ЧТО МОГУ И КАК МОГУ! МОЖЕТ, ИМ ЛУНУ С НЕБА СНЯТЬ?
ПЕЙ ЧАЙ, ЖОРЖ, А ТО ОН СКОРО ОСТЫНЕТ.

ТЫ ВСЁ ТАК ЖЕ ЖЕНИШЬСЯ НА СЛЕДУЮЩЕЙ НЕДЕЛЕ?

ЖЕРМЕН, ЭТА СВАДЬБА НИЧЕГО НЕ ИЗМЕНИТ МЕЖДУ НАМИ. НИКТО НЕ БУДЕТ ЗНАТЬ ОБ ЭТОМ, А МЫ ПРОДОЛЖИМ ВСТРЕЧАТЬСЯ КАЖДУЮ НЕДЕЛЮ.

БРЮССЕЛЬ
ДЗИНЬ
ХА ХА
ХА ХА ХА ХА

ВЫСТАВКА
ЭНДИ
УОРХО

МЫ ПРИШЛИ!
ЖОРЖ!

ЭТО НАШ СВАДЕБНЫЙ ПОДАРОК.
NEW YORK

ЭНДИ НЕ ХОТЕЛ УХОДИТЬ, ЖДАЛ ТЕБЯ. ВСТАНЬТЕ ЗДЕСЬ ДЛЯ ФОТО.

ФОТЬ!

А ГДЕ МОЯ МАШИНА?

ГОРЬКО!

ЭЙ, ЭНДИ, ХОЧЕШЬ СОСНУТЬ МОЕГО РОЖКА?
?

?
ДЖЖЖЖ!

ГДЕ ЭТОТ ГРЁБАНЫЙ ВОДИТЕЛЬ?
ХЛОП
ВЫСТАВКА ЭНДИ УОРХОЛ
БАМЦ
БАМЦ

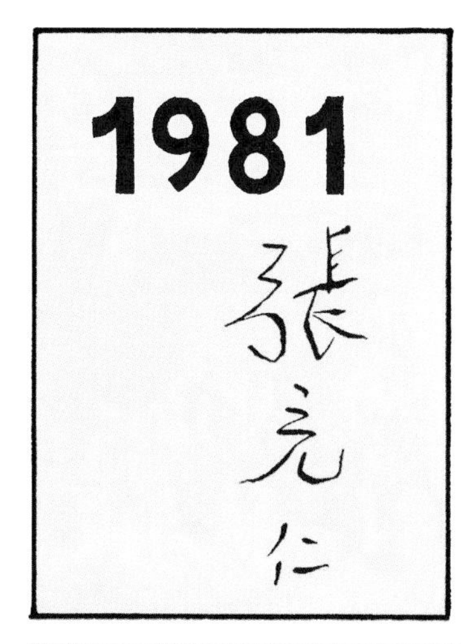
1981
張充仁

БРЮССЕЛЬ
БОЛЬНИЦА

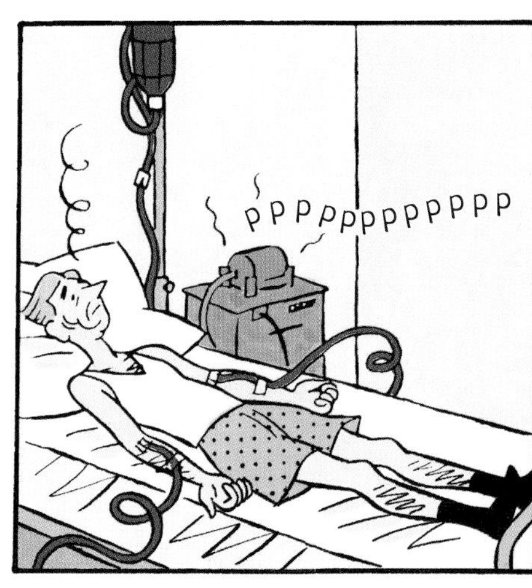
РРРРРРРРРРРР

БОЛЬ
НА СЕГОДНЯ ВСЁ, АЛЬФОНС. ПОЕХАЛИ.
БОЛЬНИЦА ГАРСОН

AIR FRANCE
АЭРОПОРТ БРЮССЕЛЯ

SABENA
AIR FRANCE

ПРИЛЁТЫ

ЧАН!

ФОТЬ
ФОТЬ
ФОТЬ
ФОТЬ
ФОТЬ
ФОТЬ
ФОТЬ
ФОТЬ

КАКИЕ ЭМОЦИИ ВЫ ИСПЫТЫВАЕТЕ ПРИ ВСТРЕЧЕ ПОСЛЕ ПОЛУВЕКОВОГО РАССТАВАНИЯ?

Я знал, я верил, что в конце концов найду тебя! Как я рад!!!
Тинтин! Если бы ты знал, как часто я думал о тебе!

ЛЬНИЦА

«СТУДИЯ ЭРЖЕ»
ХУДОЖНИК НАРИСОВАЛ ЧЕТЫРЕ ЦВЕТКА: ЖЁЛТЫЙ, КРАСНЫЙ, ЗЕЛЁНЫЙ И БЕЛЫЙ...

ЕГО ПОПРОСИЛИ НАПИСАТЬ ЧТО-НИБУДЬ НА БЕЛОМ ЦВЕТКЕ. ОН ОТКАЗАЛ: «БЕЛЫЙ ДОРОЖЕ ЗОЛОТА, ОГНЯ И НЕФРИТА».

БЕЛЫЙ — ЭТО ПУСТОТА, А ПУСТОТА БЕСЦЕННА.

ПРОСТИТЕ МЕНЯ ЗА ОПОЗДАНИЕ.

КОРОЛЕВА ПРИЕХАЛА?
ОНА УЖЕ ЗДЕСЬ!

ЧАН ЧУНЖЭНЬ.
ВЫ ВЫГЛЯДИТЕ ТОЧЬ-В-ТОЧЬ КАК В КОМИКСЕ.

ПЬЕР СТЕРКС.
Я ВСТРЕЧАЛСЯ С ФРАНЦУЗАМИ. СКОРО ВЫ ПОЛУЧИТЕ ВИД НА ЖИТЕЛЬСТВО.

НУ ЧТО, КОГДА НАМ ЖДАТЬ ОТ ВАС НОВОГО «ТИНТИНА»?
...

БОЛЬНИЦА

ШКОЛА ГРАФИЧЕСКИХ ИССЛЕДОВАНИЙ
ЭРЖЕ
ПРИКЛЮЧЕНИЯ ТИНТИНА
ГОЛУБОЙ ЛОТОС
ХЛОП ХЛОП ХЛОП
ХЛОП ХЛОП

ЭРЖЕ
ПРИКЛЮЧЕНИЯ ТИНТИНА
ХЛОП ХЛОП ХЛОП ХЛОП
ХЛОП ХЛОП ХЛОП ХЛОП

IT'S SO FUNNY!

УЧИТЕЛЬ, НЕ МОГЛИ БЫ ВЫ НАПИСАТЬ ЧТО-НИБУДЬ ДЛЯ НАС?
Я УСТАЛ. ПОШЛИ ДОМОЙ.

И ЧТО ЭТО ЗНАЧИТ, УЧИТЕЛЬ?
ХЛОП ХЛОП ХЛОП ХЛОП

РАБОТА НЕ ИМЕЕТ КОНЦА. ТРУД СЕЕТ ТЕРПЕНИЕ, ЧЕЙ ПЛОД ЕСТЬ СИЛА.
АХ!
ОХ!

АХ! КАКАЯ ТОЧНАЯ ДРЕВНЕКИТАЙСКАЯ ПОГОВОРКА!
ХЛОП ХЛОП ХЛОП
ХЛОП ХЛОП ХЛОП

ЭТО ЦИТАТА ОГЮСТА РОДЕНА.

1983

ОН ОТКАЗАЛСЯ ПОДПИСЫВАТЬ ОПЦИОННЫЙ ДОГОВОР!
ПРАВДА?
ПОСЛЕ СТОЛЬКИХ МЕСЯЦЕВ ПЕРЕГОВОРОВ...
ПЕКИН ПАРИЖ НЬЮ-ЙО

НО ПОЧЕМУ?

В ПОСЛЕДНИЙ МОМЕНТ АДВОКАТЫ КЭЙТЛИН ДОБАВИЛИ НОВОЕ УСЛОВИЕ...
КАКОЕ?
В СЛУЧАЕ ЕСЛИ СТИВЕН НЕДОВОЛЕН СЦЕНАРИЕМ, ОН ВПРАВЕ НАНЯТЬ ДРУГОГО РЕЖИССЁРА!

ГОЛЛИВУД, ОДНИМ СЛОВОМ!

НУ, СДЕЛКА И НЕ ПРОШЛА! ЖОРЖ БЫЛ ГОТОВ ОТКАЗАТЬСЯ ПОЧТИ ОТ ВСЕГО, В ТОМ ЧИСЛЕ И МЕРЧА, ПРИ УСЛОВИИ, ЧТО СЪЁМКАМИ БУДЕТ ЗАНИМАТЬСЯ САМ СТИВЕН...

ОН СЧИТАЛ ЕГО ЕДИНСТВЕННЫМ, КТО СПОСОБЕН ПЕРЕВЕСТИ ИСТОРИЮ НА БОЛЬШОЙ ЭКРАН! И УВЕКОВЕ-ЧИТЬ КАК ПРОИЗВЕДЕНИЕ, ТАК И ГЕРОЯ!

А ПОЧЕМУ НЕ МУЛЬТФИЛЬМ?

ПО ЕГО СЛОВАМ, «ТИНТИН — ЭТО ВАМ НЕ АЛИСА В СТРАНЕ ЧУДЕС».

ДИНГ-ДОНГ! ПАССАЖИР РЕЙСА В ДЕСЯТЬ ЧАСОВ ОЖИДАЕТСЯ У ВЫХОДА 76.

РИМ
БЕРЛИН
ПАРИЖ

RG-83

RG-83

БЕЛЬГИЙСКАЯ КОРОЛЕВСКАЯ ОБСЕРВАТОРИЯ

МЕЖДУ МАРСОМ И ЮПИТЕРОМ ТЫ УВИДИШЬ...
АСТЕРОИД 1652, ИЛИ ЗВЕЗДУ ЭРЖЕ!

АХ!
?

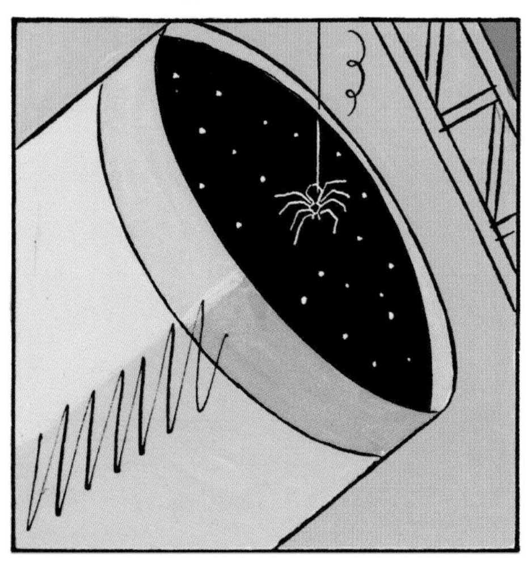

ВЕЧЕР

ВЕЧЕР
Выборы в ФРГ и во Франции: прогнозы
Мир прощается с Эрже
КОНЕЦ

ДОПОЛНИТЕЛЬНЫЕ МАТЕРИАЛЫ

Указательный список

Ален Баран

Бывший танцор балета, этот молодой бельгиец из благополучной семьи становится секретарём Эрже в 1978 году. После смерти художника он создаёт такие компании, как Baran International Licensing и Tintin Licensing, в чьи задачи входит защита авторских прав, связанных с персонажем и не принадлежащих Фанни Реми. В 1990 году капитал Tintin Licensing растёт за счёт анимационного телесериала. В то же время Ален Баран уходит со своего поста и компания переходит к Canal+. В 1994 году Фанни Родуэлл возвращает себе права, которые некогда забрал у неё бывший секретарь её мужа.

Отец Галл

Представитель цистерцианского монашеского ордена из аббатства Девы Марии Скурмонской в Форж-ле-Шиме встречается с Эрже в 50-х годах, когда тот, переживая начальные стадии хронической депрессии, приходит в монастырь в поисках внутреннего спокойствия и умиротворения. Специалист в индейской культуре Отец Галл был принят в ряды членов народа Сиу под именем Лакота Ишнава. В Эрже он находит внимательного слушателя и оказывает влияние на развитие интереса последнего к древним культурам и религиям. Став советником бельгийского автора по вопросам репрезентации индейских народов, он участвует в одном из нереализованных альбомов «Тинтина» под названием «Краснокожие».

Луи-Робер Кастерман

Родился в 1920 году. В 1945 году вслед за своим отцом Луи-Анри Кастерманом становится главой семейной компании, основанной в 1780 году Дона-Жозефом Кастерманом, издателем и продавцом книг в бельгийском городе Турне. В 1932 году бывший журналист «XX века» Шарль Лен знакомит Эрже с Кастерманами, которые, в свою очередь, предлагают взять на себя издание «Приключений Тинтина», что печатаются на тот момент в «XX веке для детей». Уже в 1936 году «Голубой лотос» выходит с логотипом издательства, но только в 1942 году в «Тайной звезде» по инициативе Кастермана Эрже обращается к цвету и фиксированному размеру альбома в 62 страницы. После войны Луи-Робер помогает главному автору издательства на всех этапах его карьеры. Умер в 1994 году.

Рене Госинни

Первой работой французского сценариста для «Журнала Тинтина» становятся вышедшие в 1956 году «Модест и Помпон» в исполнении художника Франкена. Госинни сотрудничает со многими работниками еженедельника, однако встречи с Эрже довольно редки. Десять лет спустя коммерческий успех «Астерикса», над которым Госинни работает с Удерзо, убеждает Эрже снова взяться за кисть. Хоть Шарль де Голль и заявлял, что его единственным противником является Тинтин, сам бельгийский репортёр видит врагов в жителях небольшой галльской деревни.

Боб де Моор

Уже с 1945 года Боб де Моор — подающий большие надежды представитель нового фламандского комикса, пока в 1950 году Эрже не предлагает ему иную карьеру. Внося исправления в переиздания старых альбомов и занимаясь задними планами во всех новых «Приключениях Тинтина», художник становится главным помощником мэтра Девятого искусства. Также, помимо контроля за образом студии в сопутствующих товарах и рекламе, верный Боб принимает участие в создании полнометражных мультфильмов о юном репортёре. В то же время он выпускает первый сольный альбом и публикует свои работы в «Журнале Тинтина», выполненные как в стиле исторического реализма («Юнга Кори»), так и в виде юмористической серии в духе чистой линии («Барелли»)... Боб де Моор покинул нас в 1992 году, так и не исполнив своей мечты: нарисовать последний альбом приключений Тинтина — «Тинтин и Альф-Ар».

Бернар Эйвельманс

Успешный писатель и друг Эрже, этот бельгийский эрудит придумал новую науку — криптозоологию, чья цель состоит в изучении мифических животных. Его советы помогли в создании таких альбомов, как «Мы ходили по Луне» и «Тинтин в Тибете».

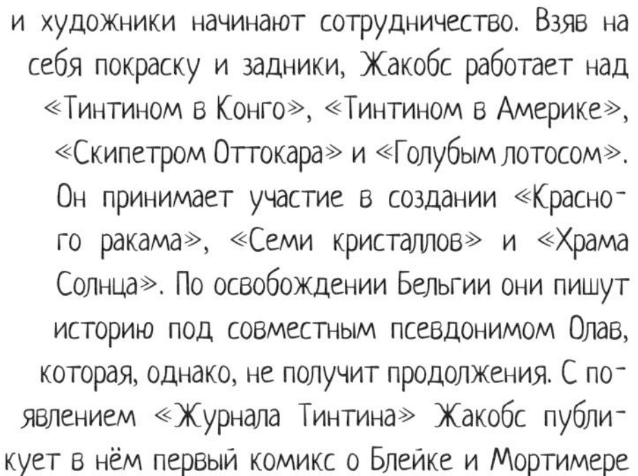

С ранних лет интересуется музыкой и рисунком. С 1921 года играет в Королевском театре «ля Монне» в Брюсселе, а после выступает вместе с известной певицей Мистангет в театре «Казино де Пари». Больше всего свой талант ему удаётся проявить в Опере Лилля, но в 1940 году Жакобс вынужден покончить с эстрадной карьерой и заняться иллюстрацией. В 1942 году он без труда берёт на себя серию «Флеш Гордон», так как новые страницы Алекса Реймонда оказались недоступны. В том же году его друг детства Жак ван Мелкебеке знакомит его с Эрже. К тому моменту Жакобс ещё ни разу не открывал «Тинтина». В это же время Эрже решает сделать свои чёрно-белые альбомы цветными, и художники начинают сотрудничество. Взяв на себя покраску и задники, Жакобс работает над «Тинтином в Конго», «Тинтином в Америке», «Скипетром Оттокара» и «Голубым лотосом». Он принимает участие в создании «Красного ракама», «Семи кристаллов» и «Храма Солнца». По освобождении Бельгии они пишут историю под совместным псевдонимом Олав, которая, однако, не получит продолжения. С появлением «Журнала Тинтина» Жакобс публикует в нём первый комикс о Блейке и Мортимере — «Секрет Эспадона». В следующем году он покидает «Студию Эрже» для продолжения сольной карьеры человека-оркестра.

Реймон
Леблан

После освобождения Бельгии Эрже попдает в деликатную ситуацию: новые власти отказываются выдавать ему свидетельство гражданских добродетелей, без которого он неспособен продолжать свою карьеру комиксиста. Однако благодатная судьба сводит художника с Реймоном Лебланом — героем бельгийского сопротивления, который хочет создать для известного репортёра своё собственное издание, «Журнал Тинтина». Благодаря его связям Эрже удаётся получить заветное свидетельство, и уже в 1946 году печатается первый выпуск еженедельника. Заняв пост арт-директора, Эрже окружает себя такими талантливыми авторами, как Жакобс, Мартен, Кювелье и ван Мелкебеке, которые в дальнейшем станут основным костяком издательства «Ломбар». Именно благодаря им с 1947 года предприниматель Ломбар будет издавать свои первые альбомы и на три десятка лет станет одной из ключевых фигур на книжном рынке.

28 мая 1940 года бельгийский король капитулирует перед немецкими захватчиками. Это решение приводит к полемике, которая не утихает до сих пор. Не помогает его положению и женитьба на простолюдинке, которую играют в 1941 году в замке Лакен. В 1951 году он отрекается от престола в пользу своего сына Бодуэна. Эрже не забудет своего короля даже в самые трудные минуты и станет частым гостем его охотничьих забав в Лакене.

Родилась в 1906 году. Жермен работает секретаршей у аббата Валле, главы «XX века», который, взяв на себя роль главного сводника издания, знакомит её с Эрже. Эта энергичная рыжеволосая девушка влюбляет в себя предприимчивого молодого человека, и аббат самолично объявляет их мужем и женой 21 июля 1932 года. Помогая своему мужу во всех его начинаниях, Жермен играет ключевую роль в его творческой карьере. Не имеющая детей пара считается примером крепких семейных уз вплоть до начала 50-х. Головокружительный успех «Тинтина» обозначает переломный момент в отношениях Жоржа и Жермен, которая отказывается принимать всерьёз популярность бельгийского репортёра. В 1956 году Эрже заводит роман с Фанни Вламинк; и ему потребуется четыре года, чтобы уйти от жены, и ещё семнадцать, чтобы развестись с ней. До конца своих дней они продолжат встречаться раз в неделю на своей вилле в Серу-Мусти.

Свои первые скетчи уроженец Страсбурга делает на заводе «Мессершмитт» в Аугсбурге, куда его занесло превратностями войны в 1943 году. Оттачивая своё перо на протяжении нескольких лет под псевдонимом, Жак Мартен присоединяется к «Студии Эрже» в 1953 году и уходит оттуда 19 лет спустя, в 1972 году. За это время он успевает поработать над рядом альбомов о Тинтине. Он заявляет о своём авторстве гэга с пластырем в «Деле Христаради». Вместе с Бобом де Моором рисует в 60-х годах поддельную панель Тинтина, дабы (безуспешно) вдохновить его настоящего создателя на новые работы. Никто не может рисовать Тинтина, кроме Эрже.

Алексис и Леон Реми

Первого октября 1882 года у Мари Девинь родились два сына, Алексис и Леон. Личность их отца так и не была установлена, и воспитанием мальчиков занимается графиня Эррембо Дюдзель из замка Шомон-Жисту, у которой их мать работает горничной. В 1892 году работник типографии Филипп Эжен Реми женится на Мари и становится для мальчиков отчимом. Так рождается семейная тайна, которая будет преследовать Эрже всю его жизнь и согласно которой его отец и дядя были на самом деле аристократических, а то и королевских кровей. Будучи умеренным католиком, Алексис прислушается к совету Анри Рэй-Вокеза, начальника его ателье, и заберёт сына из «безбожной школы» в «Святого Бонифация», где юный Жорж будет развиваться как скаут и художник. Под впечатлением от амбиций своего сына Алексис будет следить за его карьерой всю свою жизнь и в 1950 году станет администратором «Студии Эрже». Его полное сходство со своим братом-близнецом станет одним из источников для вдохновения (по крайней мере, неосознанного) на создание дуэта Дюпон и Дюпон.

Марсель Сталь

Марсель Сталь знаком с Жоржем благодаря его брату Полю, с которым они в 1935 году учились в одном артиллерийском училище. В 1960 году Сталь уходит из армии в чине полковника и решает преследовать своё увлечение живописью, открыв галерею «Карфур». Это место становится важным для Эрже, и он предлагает оплатить первые три месяца аренды, в ответ на что Сталь помогает художнику собрать свою коллекцию. Долгое время Сталь является обладателем двух из тридцати семи полотен, написанных Эрже за свою короткую карьеру живописца.

Элизабет Реми

Элизабет Дюфур родилась 20 февраля 1882 года в Брюсселе в семье сантехника-оцинковщика и кастелянши фламандского происхождения. Через два года после свадьбы с Алексисом Реми 22 мая 1907 года на свет появляется Жорж Проспер Реми. Ещё через пять лет у него рождается брат по имени Поль. Элизабет Реми будет очень сильно любить своего старшего сына: она учит его своему родному языку (наедине мать и сын говорят только по-фламандски) и водит его раз в неделю в кино, чем привьёт мальчику любовь к фильмам. Свои последние дни она проведёт в 1946 году в психиатрической больнице.

Пьер Стеркс

Критик искусства и директор Школы графических исследований в Брюсселе, Пьер Стеркс встречается с Эрже в галерее «Карфур» в 60-х годах. Желая серьёзнее заняться живописью, художник просит у критика наставничества (художник ван Линт исполнит ту же роль в вопросе техники). В 1979 году Стеркс создаёт «Воображаемый музей Тинтина», а в 1981-м проводит выставку «Чан вернулся», став тем самым одним из организаторов встречи Эрже с его китайским другом. В соавторстве с Тьерри Смолдереном им написана первая биография Эрже.

Поль Реми

Младший брат Жоржа появляется на свет 26 марта 1912 года и довольно рано открывает в себе тягу к милитаризму. Войну он проводит в немецком лагере для пленных офицеров, и после многочисленных попыток побега с целью воссоединиться с бельгийским отрядом в Англии майор Реми возвращается на родину в ореоле славы. В начале 50-х годов Эрже с опаской смотрит на безответственное поведение Поля и безуспешно просит того передать ему под опеку своих двух детей. Неспокойный брат, который часто прибегает к военным словечкам, стал одним из прототипов капитана Хэддока.

Жан-Пьер Тальбо

Живое воплощение Тинтина в «Тайне золотого руна» и «Голубых апельсинах», где роль капитана Хэддока сперва была сыграна Жоржем Уилсоном, а затем Жаном Буизом. После окончания съёмок Тальбо предпочтёт актёрской карьере работу преподавателя и вскоре полысеет, потеряв свой знаменитый хохолок.

Родился 27 сентября 1907 года в Шанхае. В 1932 году учится в Брюссельской академии искусств. Желая помочь Эрже в сборе информации для «Голубого лотоса», их между собой знакомит аббат Госсе, и юноши довольно быстро сближаются. Вместе с Чаном Эрже учится владению кистью и китайскими чернилами и в благодарность делает того героем альбома. Чан покидает Брюссель в 1935 году и двадцать четыре года спустя появляется в комиксе «Тинтин в Тибете», однако старые друзья смогут снова встретиться только спустя полвека разлуки, в 1981 году, в результате бесчисленных попыток обнаружить Чана и вывезти его из Китая, где тот стал жертвой «культурной революции». Их встреча освещается в различных СМИ и приводит к триумфальному турне Чана по Франции и Бельгии за два года до смерти Эрже. В 1989 году Чан получает французское гражданство и умирает в 1998 году.

Чан Чунжэнь

Норбер Валле родился в 1882 году. Аббат известен как «боевой священник» и заведует ежедневной газетой «XX век». Этот преданный ультракатолик, сыгравший важную роль в жизни Эрже, является неординарной фигурой: едкий полемист, идеолог, подпитываемый ненавистью от «Французского действия» Шарля Морраса, поклонник Муссолини, ненавистник евреев, большевиков, франкомасонов и парламентарной демократии, воспитавший Леона Дегреля, описываемый его противниками как «самый худший фашист». Будучи образованным нонконформистом и гедонистом, он призывает своего протеже оставить дилетантизм, дабы искать во всём совершенства. Именно он назначает Жоржа на пост творческого руководителя литературного приложения «XX век для детей», чьей основной аудиторией стала молодёжь и на чьих страницах появятся первые истории про Тинтина. Хоть аббат и оказал сильное моральное и интеллектуальное влияние на Эрже, последний постепенно уходит от идеологического воздействия своего наставника, что, однако, не мешает ему признаваться в дружбе к Валле как в опальные послевоенные годы, так и до самой смерти аббата в 1952 году.

Норбер Валле

Художник и искусствовед Жак ван Мелкебеке пишет для бельгийского ежедневника «Вечер» во время немецкой оккупации. Начинает дружить с Эрже, который сам тогда работает в той же газете, и участвует в написании пьесы «Тинтин в Индии, или Тайна голубого алмаза». По создании «Журнала Тинтина» Эрже берёт Мелкебеке к себе на пост главного редактора. Но прошлое продолжает преследовать бывшего журналиста, и налёт полиции на студию Эрже лишает его занимаемого поста. В тени Эрже ван Мелкебеке участвует в создании различных альбомов, в частности двух комиксов про Луну.

Жак ван Мелкебеке

Эрже встречается с американским художником во время его визита в Нью-Йорк. «Эрже оказал на мою работу то же влияние, что и Дисней», — заявляет король поп-арта. В честь свадьбы комиксиста с Фанни его друзья дарят Эрже портрет авторства Энди Уорхола. Изготовленная на основе полароидного снимка на арт-студии «Фабрика», данная шелкография стоила 70 000 долларов.

Энди Уорхол

Фанни Вламинк родилась в 1934 году в Схарбеке. В 1956 году становится колористкой в «Студии Эрже». Пять месяцев спустя она начинает тайно встречаться с Жоржем, что сильно повлияет на его жизнь. Разменяв пятый десяток, он найдёт в этих отношениях силы, которые откроют ему второе дыхание. Теперь Эрже уделяет работе меньше времени и больше радуется жизни, наконец начинает путешествовать и углубляет свои познания в восточных философиях. Фанни помогает ему уйти от Жермен, с которой его теперь связывают только дружеские отношения. В момент одного из его сильнейших кризисов Фанни предлагает ему пойти к психоаналитику. 10 мая 1977 года они втайне празднуют свадьбу.

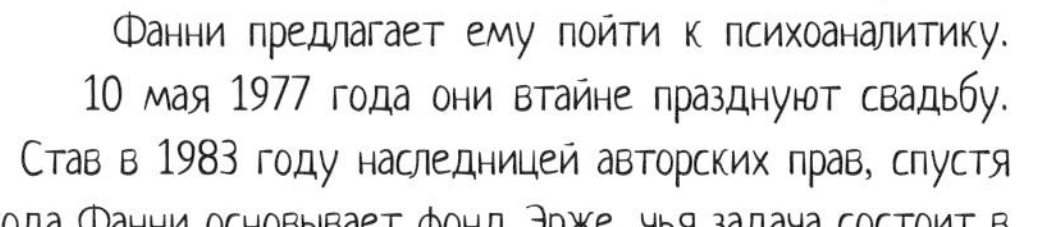

Став в 1983 году наследницей авторских прав, спустя три года Фанни основывает фонд Эрже, чья задача состоит в поддержании целостности и продолжительности работ её почившего мужа.

Фанни Вламинк

Рене Веверберг работает в «Колониальном книжном магазине» в Икселе, а также является комиссаром Belgian Catholic Scouts в Брюсселе, издателем журнала «Бельгийский бойскаут», скаутмастером «Святого Бонифация», где Жорж Реми отличится как шеф патруля под тотемом любопытного лиса. Видя в Эрже образцового новичка, он публикует его рисунки с 1922 года вместе с первым комиксом от 1926 года под названием «Удивительные приключения Тотора, главы патруля “Хрущи”». По рекомендации Веверберга аббат Валле возьмёт молодого человека к себе в издание Nouvelle Presse et Librairie, выпускающее газету «XX век», где он будет занимать различные посты, пока в 1927 году, после службы в армии, не начнёт настоящую карьеру художника.

Рене Веверберг

Оригинальное чёрно-белое издание с подписями авторов и с нумерацией от 1 до 777 (изд. Reporter, 1999)

Первое издание (изд. Reporter, 1999)

Второе издание (изд. Reporter, 2006)

Третье издание (изд. Dargaud, 2011)

Четвёртое издание (изд. Dargaud, 2015)

Рисунок к афише «31-я встреча друзей Эрже» (2016)

«Тайна голубого алмаза», шелкография,
тираж 150 экземпляров (изд. Reporter, 1999)

Рисунок к афише «Эрже: ретроспектива
в Анген-ле-Бене» (2001)

«Тинтин, Эрже и кино», Филипп Ломбар
(изд.Democratic Books, 2011)

«В тени чистой линии», Бенуа Мушар,
второе издание (изд. Les Impressions nouvelles, 2014)

«Тинтин: биография мифа», Оливье Рош и Доминик Сербело (изд.
Les Impressions nouvelles, 2014)

«Загадка Тинтина», Рено Наттьез
(изд. Les Impressions nouvelles, 2016)

« Эрже-читатель », Жан-Марк Понтье
(изд. P.L.G., 2015)

«Словарь Тинтина», Рено Наттьез
(изд. Honor▯ Champion, 2017)

« Тинтин, ангел и чёрт », Боб Гарсиа
(изд. Descl▯e De Brouwer, 2018)

« Эдгар П. Жакобс, или интервью из Леса бедняков », Франсуа Ривьер (изд. Les ▯ditions du Carabe, 2000)

HERGÉ, GERMAINE & LE PETIT THÉATRE CHINOIS.

«Эрже, Жермен и китайский театр» (экслибрис для книжного магазина Univers BD в Париже, 2015)

Экслибрис для «Друзей Эрже», 2015

Жермен Кикенс, Эрже, Норбер Валле
(изд. Generation T. Den svenska Tintinföreningen, 2014)